KB077150

한 번에 합격하는 사업계획서 작성 전략

1타 창업 멘토가 알려주는 합격 비기

한 번에 합격하는 사업계획서 작성 전략
 1타 창업 멘토가 알려주는 합격 비기
지은이 최재현

발 행 2024년 06월 10일
펴낸이 한건희
펴낸곳 주식회사 부크크
출판사등록 2014.07.15.(제2014-16호)
주 소 서울특별시 금천구 가산디지털1로 119 SK트윈타워 A동 305호
전 화 1670-8316
이메일 info@bookk.co.kr

ISBN 979-11-410-8857-6

www.bookk.co.kr

한 번에 합격하는 사업계획서 작성 전략

최재현

BOOKK

차례

머리말

창업 지원사업은 해를 거듭할수록 고도화된 사업계획서를 요구하고 있다. 사업계획서 양식은 점점 정교해지고 있고, 작성자가 잘못된 정보를 작성하지 않도록 요구사항을 정밀하게 제시하고 있다.

이르면 2025년부터 사업계획서는 중복성 여부를 검토하게 된다. 지금도 지원사업에 따라 기관에서 사업계획서 중복성 검토를 수행하고 있지만 조금 더 기술이 발달하면 인공지능을 활용하여 사업계획서의 중복성 여부를 확인하게 된다. 중복성 검토가 (예비) 창업자에게 불리해 보일 수 있지만, 중복성 검토 여부는 좋은 소식이 될 수 있다.

그동안 창업 지원사업은 제3자에 의해 작성되는 사업계획서가 지원을 받는 것이 문제였다. 소위 창업 컨설턴트를 통해 무작위로 만들어지는 사업계획서가 진정성 있는 (예비) 창업자들의 사업계획서보다 잘 평가를 받아왔다. 이유는 단순하다. 제3자인 창업 컨설턴트가 사업계획서에서 요구하는 사항을 잘 준수하여 작성했다는 것인데 저자는 오랜 시간 이 문제를 고민하면서 사업계획서 작성을 위한 실무 역량을 (예비) 창업자 스스로 강화해야 한다고 생각했다.

그래서 찾은 대답이 실무 역량을 기를 수 있는 저서의 출간이었다. 사업계획서는 작성하면 할수록 역량이 강화된다. 다만 반복 작성이 아니라 강의나 멘토링, 컨설팅을 통해 전문가와 함께 작성하고 검토하는 것이 역량 강화에 도움이 된다.

강의가 이루어지는 현장에서는 저자가 직접 (예비) 창업자에게 사업계획서 작성 방법을 안내할 수 있지만, 불특정 다수의 (예비) 창업자는 저자의 강의나 멘토링, 컨설팅을 받기 어렵다. 사업계획서 작성 방법은 기초적인 내용과 몇 가지 팁을 활용하면 일정 수준 이상의 사업계획서 작성이 가능하다. 또한, 본 저서에 제시된 방법을 활용하여 (예비) 창업자가 사업계획서를 작성한다면 중복성 검토에서도 자유로울 수 있으니 중복성으로 인한 서류 탈락의 확률 또한 낮아지게 된다.

저자는 지난 13년 동안 여러 기업의 창업 지원사업 도전을 도우면서 매년 조달한 금액만 수십억 원에 이른다. 막대한 지원자금을 조달한 노하우를 담은 이 저서를 지난해부터 작업하면서 최대한 실무에 도움이 될 수 있도록 딱딱한 이론보다는 알기 쉬운 실무를 담고자 했다.

기업의 사업계획서 작성을 지원하면서 얻은 지난 오랜 시간의 비결을 축약하여 담았기 때문에 (예비) 창업자가 본 저서를 활용한다면 사업계획서 작성에 많은 인사이트와 도움을 얻을 수 있을 것이다.

Part 1 창업 지원사업 준비 매트릭스

창업 지원사업과 자금조달 개요

창업 시장에 진입했을 당시 기억나는 한 장면이 있다. 지원을 받기 위해 불철주야 기관을 오가며 담당자와 소통하고 있는 중소기업 대표자의 모습이었다. 기업은 지원을 받지 않아도 충분히 자생할 수 있는 기업이었는데 굳이 지원을 받으려 하는 이유를 알 수 없었다. 대표자를 만나 왜 지원을 받으려 하는지 이유를 물어보니 대답이 의외로 간단했다.

"지원금은 기업의 이익으로 볼 때 10배의 가치가 있습니다. 1,000만 원을 지원받는다면 1억의 매출이 난 것과 같아요. 받을 수 있다면 지원을 받는 것이 기업에서는 큰 매출을 일으킨 것이나 큰 이익을 얻은 것과 같습니다."

거리낌 없이 대답하는 대표자의 말. 간단한 대답이지만 너무 간단한 대답이어서 그 대답 뒤에는 내가 알지 못하는 계산이 있나 하는 생각이 들었다. 올해로 13년 차가 되어 그때를 생각해보면 대표자의 말이 왜 그러했는지 더욱 공감이 간다.

중소기업은 여유자금이 넉넉하지 않다. 특히 기업 활동에 관계된 지출에 대해서는 비용을 절감하는 것이 기업의 명운을 가르기도 한다. 자금이 넉넉한 기업은 풍부한 유동성으로 자유롭게 신사업에 진출하거나 사업의 전환(피보팅, Pivoting)이 가능하지만, 일반적인 중소기업은 유동성의 부족으로 사업의 확장, 전환이 어렵다. 인력을 더 채용할 수 있느냐 아니냐로 기업의 명운이 나뉘는 경우 인건비 지원을 받은 기업은 살아남고, 지원을 받지 못한 기업은 도태될 수도 있다. 판로개척 지원도 같다. 판로개척 지원을 통해 제품을 조금이라도 더 판매하는 기업은 살아남고 그렇지 않은 기업은 재고를 처리하지 못해 도산할 수도 있다.

지원사업을 반드시 받아야만 하는 것은 아니다. 기업은 지원사업 없이도 운영되는 조직이어야 한다. 기업은 이익을 내는 영리 조직체이기 때문에 이익이 나지 않는 사업이라면 지원사업이 아니라 사업 자체의 자생력에 대한 점검이 먼저 이루어져야 한다. 지원사업에 기대어 생존하는 기업을 소위 '좀비 기업'이라 하는데 최근에는 중복 수혜에 대한 면밀한 검토와 재무상황에 대한 요건을 강화하고 있으므로 지원사업에 기대어 기업을 운영하는 것은 어렵다.

따라서 기업은 지원사업을 반드시 받아야 한다고 접근할 것이 아니라 기업의 운영에 도움이 된다는 시각에서 지원사업에 접근할 필요가 있다. 그래서 지원사업을 '기업의 마중물'이라고 표현하는데 이 표현에 대해서는 개인적으로도 동의한다.

마중물. 펌프에 마중물을 넣으면 더 많은 물을 지하로부터 끌어올릴 수 있다는 의미에서, 조금만 도와주면 날개를 달고 성장할 수 있는 기업이 많다. 지원사업은 기업의 경쟁력 강화와 산업의 발전을 위해 매년 기획되고 만들어진다. 수없이 많은 지원사업이 정부 부처 산하의 여러 기관, 지자체를 통해 공고되는데 과거에는 지원사업에 참여하는 기업의 수가 많지 않았다면 지금은 입소문을 타고 지원사업이 널리 알려지면서 여러 기업이 정부 지원사업에 참여하고자 열을 올리고 있다.

기업이 보유한 자금으로 모든 활동을 할 수 있지만, 지원을 통해 그 비용을 절감할 수 있다면 기업이 지원을 받지 않을 이유는 없다. 매출을 올려야 수익이 발생하는 기업은 매출을 올리지 않았는데도 수익이 발생하는 효과가 있는 지원사업을 거부할 이유도 없다. 지원사업에 참여할지 말지 기업이 전적으로 선택하는 것이지만 기업의 입장에서 지원사업에 참여하는 것은 손해가 아니다.

예를 들어 고용노동부 지원사업을 통해 인건비 지원을 받게 된다면 기업은 근로자의 인건비, 고정비를 절감할 수 있어 현금 흐름과 자금 운용에 도움을 받을 수 있다. 중소기업유통센터를 통해 판로 개척 지원사업에 참여한다면 마케팅 비용을 지원받아 판관비의 일정 부분을 절감할 수 있다. 특허 지원사업의 수혜 기업은 변리사와의 상담 비용, 특허 출원 비용의 일부를 지원받아 저렴한 비용으로 지식재산권을 확보할 수 있다.

기업을 지원하는 여러 지원사업이 과거에는 부처별, 기관별로 다른 이름으로 지원되었다면 근래에 들어서는 하나의 이름으로 지원사업을 통칭하여 부르고 있다. 용어의 정의가 내려진 개념은 아니지만, 기업은 정책적으로 기업을 지원하는 사업을 4가지 카테고리로 분류하여 '정책자금'이라는 이름으로 통칭하여 사용하고 있다.

기업이 지원사업에 참여하는 것은 따라서 정책자금을 지원받는다는 의미와 상통한다. 정책자금의 한 종류를 지원받는 것인데 정책자금은 '정책'이라는 단어의 의미에 맞게 정책적으로, 정책의 목적과 방향을 고려하여 지원된다.

정책자금이란?

정책자금은 금융권으로부터 자금조달이 어려운 시장 소외영역의 중소벤처기업 중 미래 성장성이 우수한 기업을 선별하고 집중적으로 지원하기 위해 만들어진 자금이다.[1] 중소벤처기업진흥공단에서는 기업을 지원하기 위해 정책자금을 공급하고 있는데 자금 지원에는 일자리 창출과 창업 활성화, 기업의 경쟁력 강화와 성장 동력 창출의 목적이 있다.

기관이 정책자금을 지원하는 목적은 창업기와 성장기에 있는 기업이 안정적으로 운영되고 더욱 성장할 수 있도록 정책적으로 지원하는 것에 있다. 기업을 우량 기업으로 견인하고 필요한 시 사업의 전환을 통해 자생력을 확보하도록 돕는 것인데 이 지원에는 정체기, 재도약기에 있는 기업을 지원하는 방향도 포함되어 있다.

---

1) KOSMES Annual Report(22)

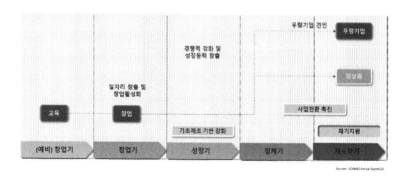

기업 성장단계와 정책자금 (Sourced KOSMES)

정책자금의 지원 방향은 시장 소외 분야를 중점 지원하는 것에 있다. 하지만 이는 정책자금의 지원 목적 중 하나에 불과하며 대부분 지원사업은 시장 소외 분야를 포함하여 성장 산업을 위해서 마련된다. 정책자금은 우리가 낸 세금으로 기업을 지원하는 것이기 때문에 기관으로서는 정책의 효과가 발생해야 한다. 기업을 지원했는데 아무런 효과도 얻지 못한다면 정책 사업은 일몰될 수밖에 없다.

시장 소외 분야의 기업을 지원하기도 해야 하지만 시장 소외영역의 기업이 정책자금의 지원을 받고 아무런 효과도 내지 못한다면 정책 사업의 당위성은 점차 힘을 잃게 된다. 따라서 근래의 지원사업은 시장 소외영역만을 위해 만들어지지 않고 성장 산업의 기업이 지원을 통해 더욱 큰 경제적 효과를 얻을 수 있도록 돕는 것에 방점을 찍고 있다.

정책자금의 종류

용자금	· 일반적인 정책자금. 기업의 신용/담보를 통해 정책금융 기관을 통해 지원받는 자금 · 시중 금리에 비해 금리, 상환조건이 좋으며 소진 속도가 매우 빠름 ex) 중소벤처기업진흥공단, 소상공인시장진흥공단 정책자금, 신용보증재단, 기술보증기금
출연금 (R&D 자금)	· 기업의 기술개발 촉진을 위한 자금으로 연구개발자금(R&D 자금)으로 불림. · 연구 개발 성공 시 소정의 기술료를 납부해야 하며, 중소기업에서 선호도가 높은 자금 ex) 중소기업기술개발 자금, 공공기관 산하 기술개발자금
투자금 (엔젤투자, 펀드)	· 정부 시책에 따라 혁신 기업의 발굴, 성장을 위해 조성되는 펀드, 투자자금 · 모체 펀드 결성 후 VC를 통해 기업에 투자되고 있으며 벤처업계 활성화를 위해 예산 증액 되고 있음 ex) 모태펀드, 성장 펀드, 임팩트 펀드 등
지원금	· 정책방향에 따라 예산을 편성하여 기업의 성장과 운영을 지원하기 위한 자금 · 한정된 예산으로 다수의 기업을 지원하기 위한 방식의 지원금이 많음 ex) 마케팅 지원, 사업화 지원, 홈페이지 제작 지원 등

정책자금의 종류 (Sourced 자체 제작)

정책자금은 크게 4가지로 분류된다.

융자금, 출연금, 투자금, 지원금인데 기업에서 지원사업으로 인식하는 자금은 지원금에 해당한다. 하지만 정책자금은 단순히 기업을 지원하는 자금만을 의미하지 않는다. 융자를 포함하여 기업의 성장을 돕는 여러 지원 자금들 또한 정책자금으로 볼 수 있다.

융자금은 일반적인 정책자금으로 정책금융으로 불린다. 정책금융기관을 통해 기업에 융자되는 자금이기 때문에 시중 은행을 통해자금을 대출받는 것에 비해 조건이 좋다. 중소벤처기업진흥공단은 정책금융의 핵심 기관으로 분기마다 정책자금 금리를 공지한다. 융자금의 종류에 따라 공지되는 기준 금리에 추가 금리가 가감되는 방식이며, 거치 기간이 있어서 기업은 거치 기간만큼 이자만 부담하며 원리금을 다음에 상환할 수 있어 자금 운용에 도움을 받을 수 있다.

출연금은 R&D(Research & Development) 자금으로 불리는 자금이다. 기업의 기술개발 촉진을 위해 정부에서 출연한 재원으로 기업을 지원하는 것인데 최근 언론을 통해 예산 삭감으로 화제가 된 자금이기도 하다. 출연금은 상환의 의무는 없으나 기술개발 성공 시 기술료를 납부해야하므로 기업은 이 점을 고려하여 지원사업에 참여해야 한다. 출연금은 지원 액수가 수천만 원에서 억 원대를 넘어가기 때문에 중소기업에서 선호도가 높은 지원사업 중 하나이다. 중소기업기술정보진흥원이 주요 기관이며 R&D 지원사업은 중소벤처기업부뿐만 아니라 여러 정부 부처와 지자체에서도 지원하는 사업이다.

투자금을 지원 자금이 아니라고 생각하는 기업들이 많다. 정부는 민간 주도로 투자 시장의 활성화와 성장 기업의 발굴을 위해 펀드를 직접 조성하기도 한다. 정부가 조성하고 벤처캐피털(Venture Capital)에 운영을 맡기는 구조인데, 이렇게 만들어진 여러 펀드는 미래유망 기업, 신성장 산업의 기업에 투자하기 위해 여러 기업을 발굴하고 있다. 투자이기 때문에 투자금을 받는 절차는 매우 까다로운 심사 과정을 거친다. 투자를 받기 위해 복잡한 과정과 절차를 밟는 것은 기업으로서 어려운 일일 수 있지만, 정책적으로 지원되는 투자금이기 때문에 펀드 조성의 목적과 방향에 따라 수혜 기업들은 꾸준히 늘어나고 있다.

　지원금은 기업이 흔히 알고 있는 지원 자금이다. 지원사업에 참여하여 받는 자금이 지원금이며 지원금은 정책 방향에 따라 예산이 편성되기 때문에 모든 기업이 무조건 받을 수 있는 것은 아니다. 일정한 요건을 만족하거나 정책 방향에 부합해야 하는 등 지원금을 받기 위해서는 여러 요소를 고려해야 하는데, 지원 액수에 따라서 사업계획서 작성의 난이도가 달라지기 때문에 기업이 사업계획서 작성에 큰 애로사항을 가지고 있는 자금이 바로 지원금이다. 지원금은 한정된 예산으로 다수의 기업을 지원하는 자금이다. 다른 자금도 기업의 수요가 높지만, 지원금은 기업의 수요가 다른 자금에 비해 매우 많은 자금이므로 경쟁률이 높다. 예산은 한정적이고, 다수의 기업을 지원해야 한다면 지원금을 지원하는 기관은 일정한 요건과 서식을 갖추도록 요구하여 기업이 지원금을 받기에 적합한 기업인지 아닌지 평가하게 된다.

　지원금의 경쟁률은 매년 높아지고 있다. 최근에는 예비 창업자를 포함하여 창업 초기기업의 지원사업 참여도 가속화되고 있어 경쟁률은 더욱 높아질 것으로 전망되고 있다. 경쟁률이 높아지기 때문에 지원 기관의 입장에서 더욱 공정한 선정 절차를 통해 지원 기업을 선별해야 한다. 이 선별 과정에 핵심은 사업계획서인데 기업은 사업계획서 작성에 심혈을 기울일 필요가 있다.

창업 지원사업의 구조적 이해

지원사업의 흐름은 기관마다 차이가 있지만 큰 구조에서는 같은 흐름을 보인다. 지원사업의 주관 기관에서 공고를 게시하면 기업이 공고문의 요건을 검토하고 사업계획서를 포함하여 제반 서류를 갖추어 제출한다. 제출된 서류는 평가위원회를 통해 평가받게 되고 서류 심사에 통과된 기업은 발표 평가를 받는다. 기관에 따라 현장 실사도 하지만 큰 규모의 지원사업이 아니면 현장 실사가 포함된 지원사업은 거의 없다.

발표 평가 이후에 최종 선정된 기업은 주관 기관과 협약을 체결하게 되고 사업 기간 동안 제출한 사업계획서에 따라 사업을 수행하게 된다. 사업계획서에 제출한 사업의 수행 내용을 간혹 만족하지 못하는 기업들이 있는데, 협약 기간 내에 달성해야 하는 목표는 반드시 달성할 수 있는 내용으로 구성해야 한다. 이를 달성하지 못하는 경우 사업이 완료되었다고 판단하기 어려우므로 최악의 경우 지원받은 자금이 환수될 수 있다.

선정으로 완료되는 것이 아니라 사업계획서에 작성된 목표를 완성하는 것까지가 지원사업의 단계이기 때문에 기업은 지원 자금을 단순히 받는 것에 목적을 둘 것이 아니라 목표를 달성해야 한다.

지원사업의 구조적 절차 (Sourced 자체 제작)

공고문을 정독해야 하는 이유

지원사업은 매년 새로운 내용으로 바뀐다. 이전에 수행한 사업이라 하더라도 변경되지 않는 사업은 없다. 사업의 전체적인 틀은 같더라도 세부적인 내용이나 지침이 변경될 수 있다. 사업의 내용이나 지침이 변경되는 이유는 다양하지만, 일반적으로 지침의 수정사항을 발견하거나 기업 환경의 변화로 지원의 방향을 수정해야 할 때 사업이 변경된다.

지원사업이 매년 바뀌기 때문에 기업은 같은 지원사업이 공고되었다 하더라도 반드시 공고문과 지침을 정독해야 한다. 기관에 따라 신구 대조표를 만들어 기업의 이해를 돕는 사업도 있지만, 대부분 지원사업은 신구 대조표를 작성하지 않고, 공고 정독을 기업의 책무로 언급하고 있다. 공고를 읽지 않아 발생하는 피해는 전적으로 지원하는 기업의 책임이라는 뜻이다. 공고상 내용이 바뀐 것이 없다 하더라도 지침에서 세부적인 변화가 있을 수 있으므로 공고문과 더불어 첨부 자료까지 정독해야 한다. 사소한 변화라도 사업 수행에는 큰 영향을 줄 수 있어서 기업은 지원사업 참여에 앞서 게시된 공고문을 반드시 읽을 것을 권장한다.

지원 범위와 내용을 반드시 확인해야 하는 이유

예비 창업자를 지원하는 사업 중 가장 유명한 지원사업은 창업진흥원의 예비창업패키지이다. 예비창업패키지는 시제품 제작까지 지원하기 때문에 양산 단계에 있는 사업 아이템과는 거리가 멀다. 사업의 공고문을 정독하면 지원 범위와 내용을 알 수 있는데 일부 예비 창업자는 지원 범위와 내용을 확인하지 않고 지원사업에 도전하게 된다.

자신이 제출한 사업 아이템이 지원사업의 범위와 내용에 해당하지 않는다면 지원사업에 참여하는 수고를 덜 수 있다. 지원 범위 여부를 확인하지 않고 제출했다가 탈락의 고배를 마시게 되면 뒤늦게 밀려오는 후회감이 지원자에 따라서는 클 수 있다. 혹 이를 이의 신청이나 불만으로 기관에 민원을 제기하는 지원자가 있는데 기관은 이런 경우를 대비하여 공고문에 기술해둔다.

"공고를 정독하지 않아 발생하는 모든 피해는 지원자의 책임이다."

지원 내용을 확인해야 하는 이유에는 예산 지급 시기도 있다. 지원사업은 지원금을 정산하는 방식이 다르다. 어떤 지원사업은 월별 정산 방식이지만 모 지원사업은 사업이 종료된 후에 정산을 시작한다. 자기 자금을 먼저 사용한 후에 사후 정산하는 지원사업의 경우 협약 기간이 1년으로 길다면 정산받기까지 1년의 시간 동안 자기 자금이 묶여 자금 흐름에 문제가 발생할 수 있다.

지원사업에 참여하는 기업은 따라서 지원하는 사업이 월별 정산 방식인지, 사전이나 사후에 정산하는 것인지 예산을 어떻게 지원하는 것인지 반드시 확인해야 한다. 지원사업에 선정되었지만 자기 자금이 묶이는 것을 뒤늦게 확인하고 사업을 포기하는 창업기업을 그동안 많이 보아왔다. 지원을 받는 것도 중요하지만 지원을 받더라도 기업의 자금 흐름에 영향을 주면서까지 지원을 받아서는 안 된다.

지원사업은 왜 우대 사항을 만들어 두었을까?

지원 자금은 정책의 목적과 방향에 따라 지원되기 때문에 모든 기업을 지원하기 위해 만들어지지 않는다. 한정된 예산으로 최대의 지원 효과를 얻으려면 기관의 성격에 따라, 지원사업의 기획 취지에 따라 기업을 선별하여 지원해야 한다. 기업을 선별하는 과정에서 기관은 사업의 성격과 목적에 적합한 기업이 우선 지원을 받을 수 있도록 우대 사항(가점)을 만드는데 우대 사항은 반드시 선정을 위해 사용되는 것은 아니다.

우수한 기업은 지원사업에 선정될 확률이 높다. 하지만 점수가 부족하여 지원 목적에 부합한 기업이 선정되지 못하는 경우 기관은 우대 가점을 통해 추가 점수를 얻고 기업이 지원사업에 선정될 수 있도록 한다. 최근에는 점수가 부족한 기업이 우대를 받기 위해 우대 사항을 이용한다기보다 지원사업에 선정되기 위해 우대 사항을 사전에 갖추려는 기업이 늘어나고 있다.

이유와 관계없이 우대 사항은 대부분 지원사업에 포함된 항목이다. 기관에서 지원사업 운영에 우대하겠다는 의미이기 때문에 우대 사항을 갖출지는 전적으로 기업의 선택이다. 필자의 경험에 비추어 보면 지원사업을 준비하는 기업이라면 우대 사항을 전략적으로 준비했던 것으로 기억하므로 지원사업을 준비하는 기업이라면 우대 사항은 사전에 갖출 것을 추천한다.

사업계획서 작성이 중요한 이유

공고문을 정독하고 지침을 확인하고 우대 사항을 확보했다고 하더라도 기업이 정작 지원을 받기 위해 제출하는 핵심 서류인 사업계획서를 미흡하게 작성했다면 지원사업에 선정되기 어렵다. 지원사업은 평가 위원으로부터 사업계획서를 평가받는 절차가 중요한데 이 단계를 통과할 수 있는 사업계획서가 미흡하게 작성되었다면 기업은 지원을 받을 수 없다.

사업계획서는 지원사업마다 서식이 다르고 분량이 다르다. 지원 액수에 따라 작성하는 양이 다르지만, 양이 다를 뿐, 중요성은 사업과 관계없이 같다. 필수 제출 서류이기 때문에 지원사업에 참여하려는 기업은 사업계획서 작성에 대한 준비와 전략적인 접근이 필요하다.

운영도 중요하다

지원사업에 선정되어 예산을 사용하는 기업을 보면 집행하는 단계에서 사업계획서에 기술한 비목과 다르게 자금을 사용한다거나 증빙을 갖추지 못해 문제를 겪는다. 협약 단계에서 지원금 사용에 대한 지침과 안내를 받지만 기업 대부분은 지침이나 가이드를 숙지하지 않고 자금을 사용한다. 목적과 다르게 사용된 자금은 환수의 대상이 될 수 있다. 지원사업을 통해 지원되는 자금은 회계법인을 통해 적절하게 사용되었는지 검토를 받게 되며 이 과정에서 기업이 목적과 다르게 사용한 자금은 환수의 대상이 된다. 지원사업 선정만 중요한 것이 아니라 선정 후 운영과 증빙까지도 신경 써야 한다. 지원사업은 운영과 증빙, 사후 관리까지가 범위에 해당한다.

공공기관과 지자체, 대학의 지원사업

　기업이 지원사업에 참여할 때 정부 부처 산하의 공공기관만을 목표로 할 때가 많다. 대부분 사업이 부처 산하의 공공기관을 통해서 지원되지만, 지자체에서도 지원사업을 통해 기업을 지원한다는 사실을 모르는 기업이 있다. 지원사업에 참여한 경험이 많은 기업은 공공기관과 지자체에서 기업을 지원한다는 사실을 알고 있으므로 경험이 많은 기업은 지원사업이 공고되는 시기에 맞추어 여러 지원사업에 동시에 선정될 수 있도록 전략적으로 접근한다.

　참여 경험이 적은 기업은 일부 기관만을 바라보며 몇 개의 사업에만 참여하게 된다. 참여하는 사업이 적으니 지원사업의 숫자가 적어 보이고 때로는 지원이 적다는 것을 한탄하기도 한다. 물론 지원사업은 지자체마다 예산과 지원 방향에 따라 사업의 수가 다르다. 모든 지자체의 사업이 같지 않고 지자체마다 지원하는 산업도 나뉜다. 따라서 지자체도 지원사업이 있다는 사실을 기억하고 기업은 지자체에 어떤 기관이 있으며 기관에서 어떤 산업과 기업을 중점적으로 지원하는지 파악할 필요가 있다. 정부 부처 산하의 공공기관도 지원 목적과 방향에 따라 사업을 달리하지만, 지자체의 기관도 마찬가지다. 지역에서 주력하는 산업과 중점 지원하고자 하는 산업의 방향에 따라 지원사업은 달라질 수 있다.

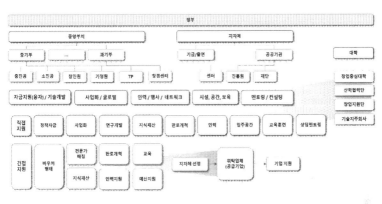

중앙부처와 지자체의 지원사업 구조 (Sourced 자체 제작)

지원사업의 분류

지원사업은 기업의 활동에 따라 크게 5가지로 분류된다. 지원사업을 공고하는 기관에 따라 달라질 수 있지만 적게는 5가지 많게는 10가지 정도로 나뉜다. 일반적으로 자금 지원, 사업화, 인력, 시설, 전문가 지원으로 지원사업은 분류되며, 10가지로 나누는 경우 기술개발, 글로벌 진출, 행사 및 네트워킹 등으로 볼 수 있다.

일반적인 분류	· 자금 지원 · 사업화 · 인력 · 시설 · 전문가 지원
지원사업 공고에 따른 분류	· 자금 지원 · 기술개발 · 사업화 · 글로벌 진출 · 인력 · 행사 · 네트워킹 · 시설 · 공간, 보육 · 멘토링, 컨설팅

지원 항목에 따른 분류

지원사업은 기업이 직접 자금을 지원받느냐, 제3자를 통해 간접적으로 지원받느냐에 따라 지원사업을 직접 지원과 간접 지원으로도 구분할 수 있다. 기업이 직접 예산을 지원받는 직접 지원사업의 경우 예산의 규모가 큰 경우가 많아 사업계획서 작성의 난이도가 높다. 간접 지원의 경우 또한 사업계획서 난이도가 높지만, 지원 액수가 작아 사업계획서의 난이도는 직접 지원과 비교하면 상대적으로 낮다.

직접 지원	· 정책자금 · 사업화 · 연구개발 · 지식재산 · 판로개척 · 인력 · 입주공간 · 교육, 훈련 · 상담, 멘토링
간접 지원	· 바우처 · 전문가 지원 · 지식재산 · 판로개척 · 인력지원 · 교육 · 예산지원

지원 형태에 따른 분류

    지원사업은 대학을 통해서도 이루어진다. 대학은 대학이 보유한 자체 예산이나 대학이 확보한 재원을 통해서 기업을 지원하게 되는데 사업에 따라 불특정 다수의 기업을 대상으로 지원하거나 대학 창업 보육 공간에 입주한 기업을 지원한다. 최근에는 교직원, 교원 창업도 활성화되고 있어서 대학에서는 교직원, 교원의 창업 활동도 독려한다.

대학교 홈페이지에 들어가 보면 조직 구성에 산학협력단이나 창업지원단을 보유한 대학을 볼 수 있다. 산학협력단을 보유한 대학은 지역 산업체와 대학의 연계 활성화를 통해 다양한 사업을 추진하고 있는 곳이다. 산학협력단은 대학 대부분에서 보유하고 있는 조직이기 때문에 기업이 대학과 시너지를 내기 위해서는 산학협력기업 또는 가족 기업 등으로의 협약 체결이 필요하다.

창업지원단은 교내 창업 활성화, 대학 내 입주기업과 산학협력 기업의 성장과 발전을 위해 설립된 조직이다. 창업지원단을 두고 있는 대학은 창업 지원사업에 주관 기관으로 참여하기도 하고, 확보된 재원을 통해 입주기업을 직접 지원하기도 한다. 학생을 포함하여 동문 기업을 지원하는 대학도 있는데 창업지원단에 참가하려면 가까운 대학, 내가 졸업한 대학을 찾을 것이 아니라 나의 사업 아이템과 기술적으로 맞는 대학교를 찾아 도움을 받는 것이 좋다. 창업지원단은 반드시 교내, 졸업자를 대상으로만 지원하진 않는다.

기술지주회사를 설립한 대학은 기술지주회사를 통해 대학의 창업 보육 공간에 입주한 기업에 투자할 수 있다. 산학협력 기술지주회사는 기업으로서 매력적인 선택지이다. 기술지주회사를 설립한 대학이 지주회사를 통해 기업에 투자한다는 의미는 단순히 지분 투자의 의미를 벗어나 추가 투자의 가능성을 시사한다. 기술지주회사가 투자하게 되면 액셀러레이터나 벤처캐피털이 추가 투자할 가능성이 커지는데, 이는 한 차례 기업의 성장 가능성이 검토되었다고 보기 때문이다. 따라서 지원사업에 참여하는 기업이 대학을 통해 혜택을 받고자 한다면 산학협력단, 창업지원단, 기술지주회사를 보유하고 있는지 확인하는 것이 좋다.

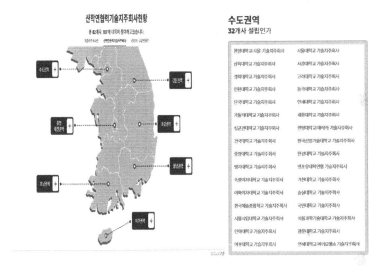

산학협력기술지주회사 현황(Sourced https://www.kath.or.kr)

창업 지원사업 준비 매트릭스

지원사업은 매년 경쟁률이 높아지고 있다. 예산은 한정되어 있고 기업의 참여는 가속화되고 있으니 경쟁률이 자연스럽게 높아질 수밖에 없다. 기업의 지원사업 참여가 활성화될수록 경쟁은 지금 보다 더욱 심화할 것이기 때문에 기업은 지원사업에 선정되기 위해 전략적인 접근이 필요하다.

기업이 지원사업에 전략적으로 접근하기 위해서 다양한 방법을 사용할 수 있지만, 현업에 오랜 시간 종사해오면서 지원사업이 원하는 기업은 여러 요건을 잘 갖추어 놓은 기업이라는 사실을 알게 되었다. 요건을 갖춘다는 것은 기업이 일정 기준을 만족하고 있는 것과 같은 의미인데, 이 기준이 무엇인지 쉽게 확인하는 방법은 중소벤처기업진흥공단의 평가 기준을 활용하는 것이다.

정책금융기관의 평가 기준이 지원사업과 어떤 연관성이 있는지 의아할 수 있는데 정책금융기관의 평가 기준은 예상외로 지원사업의 평가와도 큰 연관성이 있다. 정책금융기관이 자금을 융자할 때 아무 기업에나 자금을 융자하지 않는다. 심사를 통과한 기업만 융자를 진행하게 되는데 정책금융이기 때문에 기관은 정책의 목적성과 부합성도 고려하고 기업이 상환능력이 있는지, 성장하는 기업인지 아닌지도 판단한다. 대표자의 경영능력도 판단하며 기업의 재무, 비재무 요소를 함께 고려하여 융자 여부를 결정한다.

지원사업은 사업계획서로 지원 여부를 판단한다. 하지만 모든 지원사업이 사업계획서로만 선정 여부를 판단하지 않는다. 기업의 재무 요소를 고려하는 사업도 있고 비재무 요소를 함께 고려하여 지원되는 사업도 있다. 인증을 취득한 기업을 우선 대상 기업으로 분류하는 사업도 있다. 따라서 기업은 지원사업 하나에만 선정되도록 준비할 것이 아니라 재무와 비재무 요소를 다양하게 갖추어 보다 넓은 영역의 지원사업에 참여할 수 있는 능력을 갖추어야 한다.

중소벤처기업진흥공단에서는 정책자금과 연계지원을 위해 'K-Value'라는 평가 모형을 사용한다. 이 모형은 4가지 기준으로 기업을 평가하는데 4가지는 기업의 기술성, 사업성, 대표자의 경영능력, 사업 아이템의 정책 목적성이다.

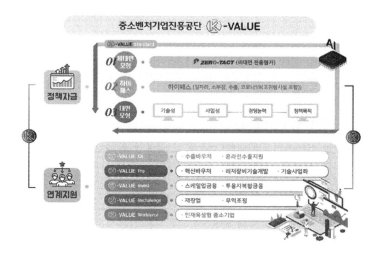

중소벤처기업진흥공단 K-Value 모형 (Sourced KOSMES)

중소벤처기업진흥공단에서 기업을 평가할 때 사용하는 4가지의 지표를 지원사업에 맞게 적용해보면 조금 더 세부적으로 살펴볼 수 있다. 저자는 이 표를 '창업 지원사업 준비 매트릭스'라고 명명했다. 창업 지원사업 준비 매트릭스는 K-Value 대면 모형의 4가지 기준인 기술성, 사업성, 경영능력, 정책 목적을 지원사업에서 요구하는 세부 항목에 맞추어 재구성한 표이다.

세부 항목들은 저자의 경험과 그동안 여러 지원사업에서 기관이 중점적으로 살펴보았던 항목으로, 기업이 지원사업에 참여하기 전 준비 매트릭스에 따라 각 요건을 활용한다면 지원사업 준비와 수혜에 큰 도움이 될 것이다.

기술성	사업성	경영능력	정책목적
• 특허, 실용신안, 디자인, 상표, 저작권 (IP)	• 재무제표 (1년 이상 기업)	• 대표자의 경영능력	• 정책목적성 • 정책부합성
• 기술인력	• 부가가치세 과세표준증명원 (1년 미만 기업)	• 국가기술자격 (기사, 산업기사) (기술사, 기능장)	• 지역특화산업
• 연구소/전담부서			• 지방활성화정책
• 기술 관련 인증	• 시장조사(산업동향)	• 수상/포상 실적 (부처, 기관장급) (공모전, 경진대회)	• 개발특구, 산단 등
• 창업, 여성, 장애인 등	• 미래유망산업		• 소부장, 녹색, 뿌리기업 등
• 논문, 성적서, 인정서	• 혁신성장산업	• 기술인력의 역량	• 초격차/초성장 산업

창업 지원사업 준비 매트릭스 (Sourced 자체 제작)

창업 지원사업 준비 매트릭스는 위와 같이 구성되어 있다. 지원사업에 참여하는 기업의 기술성을 확인하려면 기관이 어떤 항목을 살펴볼 것인가. 저자는 특허를 포함하여 기술인력, 연구소, 기술 관련 인증 등을 핵심 항목으로 제시한다. 사업성은 기업의 수익과 관련된 것이지만 시장 조사, 미래유망산업까지 포함함으로써 기관이 기업의 산업에 대해서도 살펴본다는 점을 강조했다.

대표자의 경영능력도 기관에서 보는 항목 중의 하나이다. 창업 지원사업에서는 대표자의 역량이라는 항목으로 요구하고 있으나 벤처기업 인증에서는 대표자의 경영능력과 이력, 자격, 수상 실적 등을 확인한다. 정책 목적은 말 그대로 기업이 정책의 목적과 맞는지, 정책적으로 지원하는 산업의 대상 기업인지를 확인하는 항목이다. 4가지 기준과 세부 항목을 구체적으로 살펴보면 다음과 같다.

기술성

지원사업에 참여한 기업이 기술력이 있는지를 확인하는 방법은 6 가지가 있다. 기업이 아래의 6가지 항목을 모두 준비해야 하는 것은 아니지만 6가지를 참고하여 준비한다면 지원사업에서 기술력이 있는 기업으로 판단 받을 수 있다.

첫 번째, 기업의 기술성은 지식재산권(IP, Intellectual Property) 으로 확인할 수 있다. 지식재산권은 저작권, 산업재산권 등으로 나뉜다. 산업재산권은 특허권, 실용신안권 등으로 분류되는데 우리가 흔히 알고 있는 특허권이 산업재산권에 해당한다. 특허는 출원 이후 등록 단계를 거친다. 기업은 출원이 아무 의미가 없다고 판단하지만, 산업재산권은 출원으로도 지원사업에서 가점으로 인정되는 경우가 많다. 따라서 없는 것보다 출원하는 것이 좋고, 출원보다는 산업재산권을 등록하여 보유하고 있는 것이 좋다.

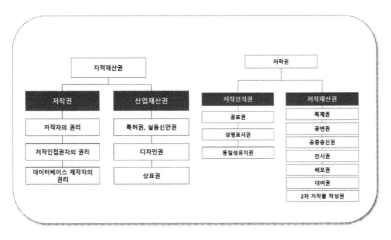

지식재산권의 내용

소기업들은 특허를 상대적으로 보유하기 어렵다. 권리 보호를 위해 상표권 정도만 확보하여 사업을 하는 기업들이 많은데 상표권, 디자인권처럼 비교적 저렴한 금액으로 취득할 수 있는 권리라도 보유하고 있는 것이 지원사업에서는 좋은 결과를 얻을 수 있다. 단순히 지원사업을 위해서 권리를 취득하는 것이 아니라 권리 확보는 기업의 기술과 제품, 서비스를 보호하는 법적인 장치이다. 기업이 사업을 영속적으로 영위하기 위해서는 기업의 권리 확보가 먼저 수행되어야 한다. 기관은 기업의 기술력이 있는지도 확인하지만, 지원사업에서는 지원사업을 수행하는 기업의 기술이 법적으로 보호되고 있는지도 확인한다.

기업이 지식재산권을 보유하고 있다면 어떤 지원사업에 참여할 수 있을까. 정책금융에서는 기술을 보유한 기업이 이용할 수 있는 자금이 있다. 중소벤처기업진흥공단의 개발기술사업화자금은 특허나 실용신안 또는 저작권 등록 기술이 있는 기업이 이용할 수 있는 정책금융이다. 또한, 벤처기업 인증을 취득하고자 하는 기업이 있다면 지식재산권 보유 여부와 보유 수량이 기술력 평가에 가점 대상이 될 수 있다.

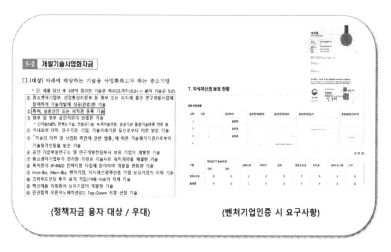

(정책자금 융자 대상 / 우대)   (벤처기업인증 시 요구사항)

정책자금과 벤처기업 인증에서의 기술성(Sourced KOSMES, Venturein)

두 번째, 기업의 기술력은 기술인력으로 확인할 수 있다.

기업이 기술력이 있어 권리를 확보했다면 해당 기술을 개발한 인력이 기업에 재직하고 있을 것이다. 기업이 기술을 이전받은 것이 아니라면 기업이 특허를 보유하고 있다는 사실은 기술인력을 채용했고 인력이 기업에 근무하고 있다는 의미와 일맥상통한다.

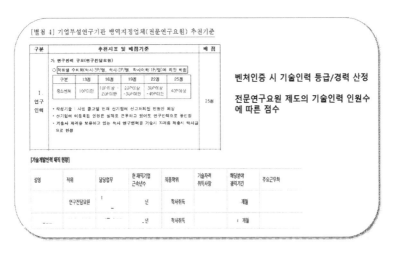

[별첨 4] 기업부설연구기관 병역지정업체(전문연구요원) 추천기준

구분	추천지표 및 배점기준					배점
I 연구 인력	가. 연구인력 규모(연구전담요원)					25점
	○ 학위별 수치[박사 : 5P/명, 석사 :3P/명, 학사이하 1P/명]에 의한 배점					
	구분	13점	16점	19점	22점	25점	
	중소·벤처	10P미만	10P이상 ~ 20P미만	20P이상 ~ 30P미만	30P이상 ~ 40P미만	40P이상	
	• 작성기준 : 사업 공고일 현재 신기취침 신고처리됨 인원인 대상					
	• 신기업에 미등록된 인원은 실제로 근무하고 있어도 연구인력으로 불인정					
	• 거출시 자격을 보유하고 있는 학사 연구인력은 기술사 자격을 취득시 박사급으로 한정					

벤처인증 시 기술인력 등급/경력 산정

전문연구요원 제도의 기술인력 인원수에 따른 점수

[기술개발인력 재직 현황]

성명	처위	담당업무	현재직기업 근속년수	최종학위	기술자격 취득사항	해당분야 경력기간	주요근무처
	연구전담요원		년	학사취득		개월	
			년	학사취득		개월	

정책자금과 벤처기업 인증에서의 기술성(Sourced MMA, Venturein)

기업이 기업부설연구기관의 병역지정업체 즉 전문연구요원제도를 활용하고자 할 때 연구인력(기술인력)의 규모는 추천 지표 및 배점의 기준이 된다. 벤처기업 인증을 취득할 때도 기술개발인력의 재직 규모는 평가 점수에 반영된다. 기업이 권리를 확보하고 있다면 기술을 개발하기 위한 인력도 보유하고 있다는 의미이므로 기술인력의 규모는 여러 제도에서 기업에 유리하게 작용할 수 있다.

세 번째, 기업의 기술력은 연구소/전담부서의 설립으로 확인한다. 기술인력은 기업 내 조직 중 하나인 기업부설연구소(연구전담부서)에서 기술을 개발한다. 기업이 기업부설연구소(연구전담부서)를 설립하고 신고하여 인정서를 취득한 경우에는 연구 활동에 대해 기록하고 연구실적을 매년 보고해야 한다. 연구과제를 설정하여 연구

활동에 대해 기록하도록 관계 기관에서 규정하고 있으므로 기업이 기업부설연구소(연구전담부서)를 보유하고 있다는 의미는 기술인력이 새로운 제품, 서비스에 관한 기술을 개발하고 있음을 증명하고 있는 것과 같다.

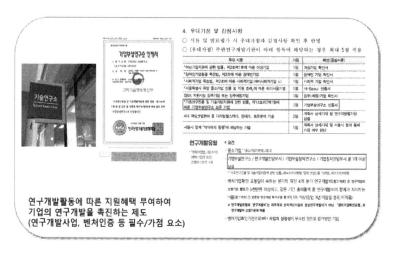

R&D 정책자금과 벤처기업 인증에서의 기술성(Sourced MMA, Venturein)

기업부설연구소(연구전담부서)는 연구개발사업의 우대 가점 항목이 된다. 일부 기술 개발사업에서는 기업이 연구소를 보유하고 있는 것을 연구개발역량이 확보되었다고 보고 우대 가점을 부여한다. 벤처기업 인증 취득 시에 연구소를 보유한 기업은 연구개발유형으로 벤처기업 인증을 신청할 수 있다. 기업이 연구소를 운영하고 있다면 연구개발 기간을 근거로 하여 기술력이 있음을 증명하고 성장 잠재력이 있는 기업으로 벤처기업 인증을 취득할 수 있는 것이다.

네 번째, 기업의 기술 사업화는 기술 관련 인증으로 확인한다.

기업이 기업부설연구소(연구전담부서)를 설립하여 기술인력을 확보하고 새로운 기술을 연구하고 개발했다면 개발된 기술은 권리화를 통해 지식재산권의 형태로 기업에 확보된다. 기업은 확보한 기술로 사업화를 수행한다. 만약 기술이 적용된 제품, 서비스가 차별 우위가 있어 소비자로부터 수요를 창출하고 있다면 기업은 확보한 권리를 통해 사업화를 수행한 것으로 재무, 비재무적 성과를 얻을 것으로 기대될 수 있다.

기관에서 기술 관련 인증으로 분류한 여러 인증은 위와 같이 기업이 기술력을 확보하고 있음을 확인하면서 동시에 재무, 비재무적으로 우수한 성과를 창출하고 있음을 증명해주는 장치이다. 대표적인 기술 관련 인증으로 벤처기업(Venture) 인증, 이노비즈(Inno-biz) 인증, 메인비즈(Main-biz) 인증이 있으며, 이외에도 신기술(NET), 신제품(NEP)인증 등 다양한 인증이 있다.

벤처기업, 이노비즈 및 메인비즈 인증을 취득한 기업은 여러 지원사업의 혜택을 누릴 수 있다. 인증을 취득한 기업은 전문연구요원제도 신청 시 연구기반 및 인프라 확충 분야에서 점수를 획득할 수 있으며, 인건비 지원도 받을 수 있다.

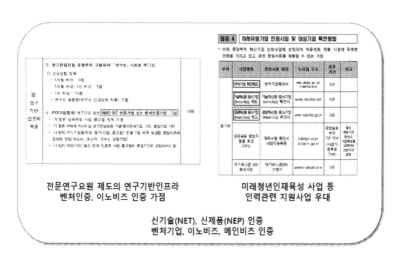

기술 관련 인증의 우대 사항(Sourced MMA, 미래청년인재육성사업)

다섯 번째, 기업은 확인서 세트를 필수로 보유해야 한다.

창업기업이 신청하여 발급받을 수 있는 확인서는 몇 가지로 추려진다. 확인서는 기술력과 무관한 서류지만 기업의 형태, 성장단계를 확인할 수 있는 문서이기 때문에 여러 지원사업에서 필수 요구 서류로 활용된다. 기술력과는 무관하지만, 지원사업에 쓰이는 중요한 문서이므로 기업에서는 확인서를 필수 서류로 인식하고 준비하는 것이 좋다.

창업기업확인서는 기업이 창업기업임을 증명하는 서류로 창업 지원사업에서 필수 서류로 요구되는 사업들이 있다. 중소기업 확인서는 기업이 중소기업임을 증명하는 서류로 지원사업의 기초 서류에 해당한다. 여성 기업 및 장애인 기업 확인서는 대표자가 해당하는 경우에만 신청해야 한다. 두 확인서는 현장 실사를 통해 사업 수행 여부를 확인하는 절차가 있다. 사업 수행 및 대표자를 현장에서 확인하는 행정적인 절차이므로 복잡하지 않다. 여성 기업 및 장애인 기업 확인서는 여러 지원사업에서 매우 우대하는 가점 항목으로 활용되기 때문에 해당한다면 필수로 발급받아두는 것이 좋다.

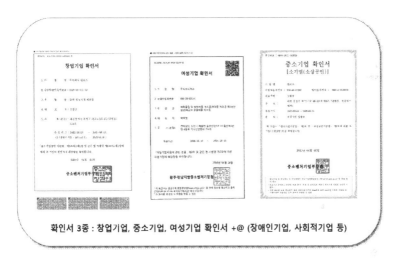

확인서 3종 : 창업기업, 중소기업, 여성기업 확인서 +@ (장애인기업, 사회적기업 등)

확인서 3종 세트 (Sourced 각 사이트)

확인서 종류에는 이 외에도 사회적기업 확인서, 뿌리 기업 확인서 등이 있다. 확인서 2종 또는 3종 세트라 하여 기업이 필수로 갖출 것을 권장하지만 지원사업에 따라 확인서가 가점으로 적용되는 사업들이 다르므로 확인서와 같은 문서는 될 수 있으면 기술력과 관계없이 최대한 갖추어 둘 것을 권장한다.

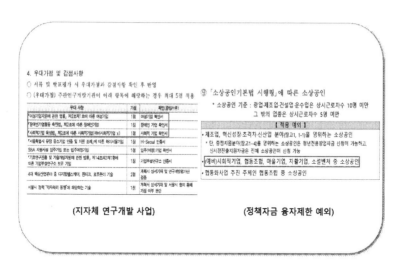

확인서 우대 사업 (Sourced egbiz, KOSMES)

마지막으로, 기업이 확보한 성적서, 인정서, 논문도 기술력을 확인할 수 있는 좋은 자료가 된다.

대학과 함께 연구하여 신기술을 개발하는 기업은 논문의 저자가되거나 연구개발에 참여, 실증을 통해 기술을 구현하는 기업이 될수 있다. 대학과 함께 발표한 논문의 게재 건수가 많을수록 기업은깊이 있는 연구개발을 진행한 기업으로 인정될 수 있으며, 기술의실증을 위해 취득한 성적서나 인정서는 기업이 기술개발과 실증에충분한 역량을 확보하고 있음을 나타낸다.

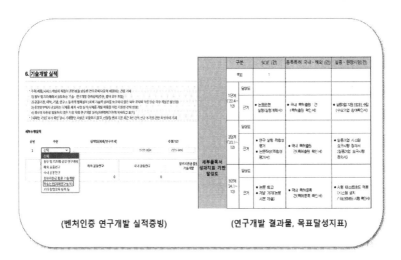

논문, 성적서 활용 예시(Sourced Venturein, egbiz)

기업이 논문을 게재한 건수는 벤처기업 인증 취득 시 기술개발 실적 건수로 인정된다. 기업이 기술개발을 수행하였다면 기술개발의 산출물로 논문을 게재한 것도 인정하는 것이다. 논문과 성적서, 인정서 등은 기술개발 사업 수행 시 목표달성도 지표에도 활용된다. 기술개발 사업의 평가 위원으로 평가할 때 기업이 기술을 잘 개발하였는지를 논문, 성적서, 인정서 등의 산출물로 확인하게 되어 있다. 기술성의 핵심은 산출물이다. 기업이 기술을 개발하고 있고 이를 통해 사업을 수행하고 있다면 지원사업에서는 어떤 형태로든 산출물이 기업 내에 있음을 확인한다. 산출물은 곧 기업의 기술력을 보여주는 증거이기 때문에 지원사업에 참여하고자 하는 기업은 기술력을 확보하되 반드시 눈에 보이는 산출물로 기술성을 갖출 필요가 있다.

사업성

지원사업에 참여하는 기업이 사업성이 있다는 것을 어떻게 확인할 수 있을까. 가만히 생각해보면 정답은 간단하다. 기업의 사업 아이템이 사업성을 확보하고 있다는 것은 수익을 잘 내고 있다는 것이니 기업의 가계부 즉 재무제표를 확인하면 된다.

하지만 모든 기업이 재무제표를 가지고 있는 것은 아니다. 1년 미만의 창업기업은 재무제표가 없다. 1년이 지나지 않아 재무제표가 작성되지 않았기 때문인데 1년 미만의 기업이라 하더라도 사업성을 판단하려면 기관은 어떤 형태로든 확인하는 절차를 거쳐야 한다. 이런 경우 기관은 어떤 서류를 통해 기업의 사업성을 확인할 수 있을까?

올해 초 문의가 들어왔던 모 기업은 굉장히 특이한 기업이었다.

서울에 소재한 창업기업은 패션 분야의 기업으로 창업한 지 꼬박 3년이 된 기업이었다. 대표자가 30세 미만으로 청년이었는데 창업 2년 동안 1억의 매출도 올리지 못해 힘든 시기를 보냈다고 했다. 하지만 3년 차인 2023년에 급속도로 기업이 성장해 무려 120억 원의 매출을 올리게 되었다. 1년 만에 빠르게 성장할 수 있었던 비결은 패션 산업에 종사하고 있었기 때문이며 패션 산업 중에서도 매출이 가파르게 상승할 수 있는 사업 아이템을 보유하고 있었기 때문이었다.

만약 기업의 사업성을 단순히 수치로만 확인한다면 이런 기업들은 어떻게 평가할 수 있을까. 눈에 보이는 숫자가 좋지 않으니 성장성이 없다고, 사업성이 부족하다고 판단하여 지원사업에 선정하지 않으면 앞으로 성장하는 기업은 어떻게 판단할 수 있을까. 기관에서는 이런 점을 고려하여 기업의 사업성을 단순히 어제의 수치로만 확인하지 않고 미래의 성장 가능성을 함께 고려하여 기업의 사업성을 판단한다.

기업의 사업성을 평가하는 세부 항목으로 필자는 4가지를 제시한다. 4 가지는 재무제표, 부가가치세 과세표준증명원, 산업의 동향과 미래유망산업(혁신성장산업)이다. 기업의 사업성은 정량화된 수치로 확인함과 동시에 수치로 확인되지 않는 산업의 동향까지를 사업성의 기준으로 볼 수 있다. 기업이 단순히 매출을 올리는 것에만 집중하다 보면 산업의 변화를 읽지 못하는 경우가 있는데 지원사업에

한해서는 산업의 동향과 변화를 읽고 빠르게 변화하는 기업이 유리
할 수 있다.

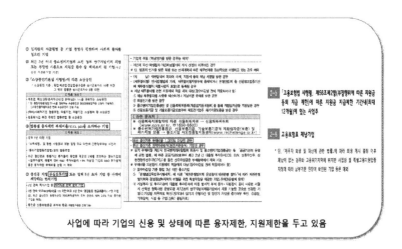

기업의 재무제표와 지원사업의 관계(Sourced KOSMES)

  사업경력이 1년 이상인 기업은 재무제표를 확인할 수 있다. 개인
사업자, 법인사업자에 따라 재무제표를 확인할 수 있는 기간이 다
르지만, 소득세 및 법인세 신고가 마무리된 후 통상 5월~7월에는
재무제표를 국세청 홈택스를 통해 발급할 수 있다. 세무대리인을
통해서 재무제표를 확인할 수 있지만, 지원사업에서는 국세청에서
발급된 재무제표를 인정하기 때문에 홈택스를 통해 재무제표를 출
력하여 보유할 것을 권장한다.

재무제표는 기업의 가계부이다. 한 해 동안 기업이 어떻게 사업을 추진해왔는지, 현금 흐름은 좋은지 아닌지, 비용과 수익의 구조는 어떤지 알 수 있으며 재무제표만 보아도 기업이 어떤 기업인지 알 수 있어서 재무제표는 통상 기업의 얼굴이라 불린다.

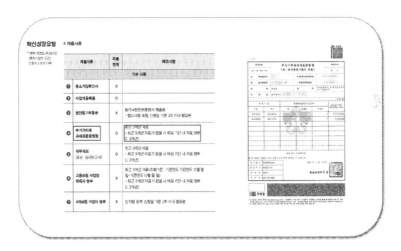

부가가치세 과세표준증명원과 벤처기업 인증 요구항목(Sourced Venturein)

재무제표를 통해 기업의 사업성을 확인했을 때 기업이 큰 매출과 이익을 거두고 있다면 기업은 성장하고 있는 기업, 사업의 지속성이 있는 기업이라고 판단될 수 있다. 재무제표가 좋으면 기업은 대출을 쉽게 받을 수 있다. 정책금융에서는 기업의 재무제표가 좋으면 상환능력이 높다고 보기 때문에 상대적으로 정책금융 조달이 쉬워진다.

기업의 사업성이 높다면 부채비율이 낮아 정책금융 조달 시 융자 제한 사항에 해당하지 않으며, 국가 R&D 사업에서는 부채비율과 자본잠식을 지원제한 사항으로 두기 때문에 기업의 사업성이 좋다는 의미는 R&D 사업에도 자유롭게 참여할 수 있는 이점을 준다.

사업경력 1년 미만의 기업은 부가가치세 과세표준증명원으로 사업성을 확인할 수 있다. 부가가치세 과세표준증명원은 부가가치세를 얼마나 내었는지 확인할 수 있는 서류로 납부한 세액을 확인하면 대략 기업의 매출을 가늠해볼 수 있다. 기업이 판매하는 제품과 서비스에는 부가가치세가 포함되어 있으며 매출이 발생하면 기업은 부가가치세를 신고하고 납부한다. 신고된 부가가치세는 매출액에 근거하여 산출되기 때문에 재무제표가 없는 사업경력 1년 미만의 기업이라 하더라도 부가가치세 과세표준증명원을 확인하면 기업이 얼마나 매출을 올리고 있는지 확인할 수 있다.

사업경력 1년 미만의 기업을 지원하는 판로개척 지원사업의 경우 부가가치세 과세표준증명원을 필수 제출 서류로 명시하고 있다. 매출액이 지원 여부를 결정하는 것은 아니지만 지원 목적에 맞는 기업을 확인하기 위해 필수 서류로 요구된다. 벤처기업 인증 혁신성 장유형에서도 부가가치세 과세표준증명원을 필수 제출 서류로 요구하고 있다. 3개년 간의 자료를 요구하고 있는데 3개년 간의 자료를 통해 기관은 기업의 매출액이 감소했는지, 증가했는지를 확인하여 사업성을 평가한다.

눈에 보이는 매출이나 사업성과는 없지만, 폭발적인 잠재력을 가진 기업은 사업성이 있다고 해야 할까, 없다고 해야 할까. 기술개발에 많은 시간이 소요되는 산업이나 연구개발 이후에 엄청난 파급력을 보여주는 아이템의 경우 산업의 시장 동향을 중심으로 기업의 잠재력이 있는지 없는지 판단할 수 있다. 예를 들어 인공지능 산업의 경우 빅테크 기업을 제외하면 창업 초기기업의 사업화 성과는 부족할 수 있지만 성장성은 매우 높을 것으로 예측할 수 있다. 왜냐하면, 글로벌 인공지능 산업이 빠른 속도로 성장하고 있고, 산업이 인공지능 기술을 적용하고 있으며 향후 이 분야가 새로운 먹거리를 지속 창출할 것으로 기대되고 있기 때문이다.

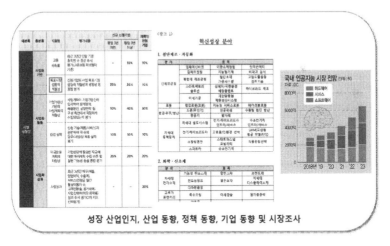

성장 산업인지, 산업 동향, 정책 동향, 기업 동향 및 시장조사

시장 조사 및 산업 동향 요구사항 사례(Sourced Venturein, KOSMES, IDC)

지원사업에서 시장 조사의 중요성과 산업의 동향을 파악하는 것

이 중요한 이유가 바로 여기에 있다. 지지부진한 사업을 영위하고 있다 하더라도 기업이 신산업 분야로 사업을 전환한다면 지원사업에서는 기업의 성장 가능성을 보고 지원을 결정할 수 있다.

벤처기업 인증은 사업계획서를 제출받고 사업계획서에 작성된 내용에 대하여 심사한다. 이때 사업계획서에는 기업이 목표로 하는 시장과 산업의 동향을 확인하는 평가 항목이 있는데 기업이 어떤 산업에 진입하며 어떤 사업을 영위하는지에 따라 성장성을 다르게 구분하여 평가한다. 정책금융에서는 혁신성장 분야의 기업을 우선하여 지원한다. 혁신성장이 예상되는 산업을 기업이 영위하고 있다면 지원 목적에 부합한다고 보고 기업을 지원할 수 있는 것이다.

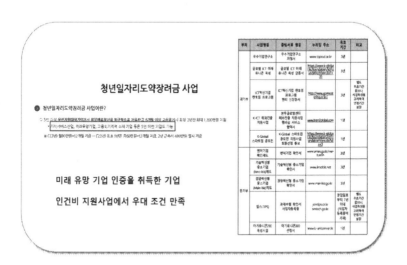

미래유망기업의 우대 사항(Sourced Moel)

정책금융에서 혁신성장 분야의 산업을 명시한 것처럼 지원사업에서는 미래유망기업, 혁신성장산업을 명시하여 기업을 우대한다. 청년일자리도약장려금 사업은 5인 이상을 대상으로 하고 있지만, 미래유망기업은 5인 미만이라 하더라도 인건비 지원을 받을 수 있다.

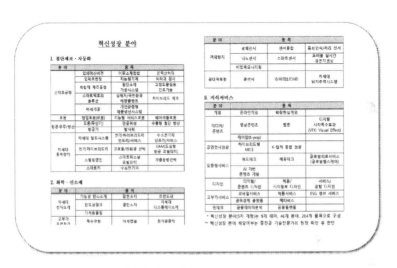

혁신성장 분야 산업(Sourced KOSMES)

앞서 살펴본 것처럼 정책금융에서는 혁신성장 분야 산업을 정리하고 산업별로 어떤 분야를 우선 지원하는지 명시하고 있다고 언급했다. 이 자료는 중소벤처기업진흥공단의 알림 마당에서 정책자금 융자계획 공고의 첨부 자료를 통해 확인할 수 있다. 혁신성장 분야는 단순히 정책금융의 우선 지원만으로 사용되지 않는다. 산업별로 성장하는 품목과 잠재력이 있는 산업을 정리한 자료이기 때문에 기업은 해당 내용을 여러 지원사업에 활용할 수 있다.

경영능력

지원사업은 대표자의 경영능력을 확인한다. 경영능력이라고 표현하고 있지만, 대표자와 구성원의 역량을 확인한다는 것이 더욱 적합한 표현이다. 지원사업에 선정된 기업은 협약 기간 동안 사업을 수행하게 된다. 제출한 사업계획서에 따라 사업을 추진하며 제시한 목표를 달성해야 한다. 기업이 협약 기간 내에 지정된 목표를 달성하려면 대표자의 리더십 아래 사업을 잘 추진할 수 있도록 구성원 모두가 목표를 향해 정진해야 한다.

대표자가 경영능력이 부족하다면 팀을 잘 이끌어나갈 수 없다. 마찬가지로 구성원이 사업을 함께 추진할 역량이 부족하다면 대표자와 함께 목표를 달성하기 어렵다. 지원사업에서 대표자와 구성원의 역량을 작성하도록 권고하고 있는 이유는 지원사업을 단순히 잘 추진할 수 있는지를 확인하는 것이기도 하지만 지원사업이 마중물이 되어 미래에 성장할 수 있는 잠재력이 충분한지도 확인하기 위함이다. 그렇다면 지원사업에서 대표자와 구성원의 경영능력을 확인하는 방법은 무엇일까.

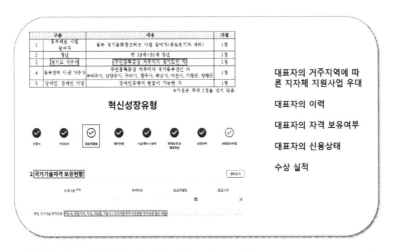

벤처기업 인증, 지원사업 대표자의 경영능력 요구사항(Sourced Venturein, egbiz)

벤처기업 인증은 대표자의 경영능력을 확인한다. 단순히 대표자의 이력을 요구하는 것이 아니라 대표자의 근무 경력, 자격증 보유 여부, 수상 실적, 신용 상태 등을 확인하며 대표자가 해당 산업에서 어느 정도의 근무 경력을 보유하고 있는지를 확인한다. 대표자의 근무 경력이 창업 아이템에 적합한 산업이며 다년간 근무한 이력이 있다면 당연히 산업에 대해서 높은 이해도를 하고 있을 것이기 때문에 타 산업에 종사한 대표자들에 비해 동종 산업에 종사한 대표자가 벤처기업 인증 취득 시 높을 점수를 받을 수 있다.

지자체 지원사업에서는 해당 지역에 거주한 거주자를 대상자로 하기도 한다. 지역을 제한하여 지자체 지원사업을 한정하는 것이지만 지원사업에 따라 사업장 소재지, 기업부설 연구소 소재지 등을 지역으로 제한하여 사업한 이력을 함께 확인하기도 한다.

추가서류(일부 필수)

No	제출서류명	체크사항	파일첨부	
1	대표자 경력증명서/국민연금 가입자 가입증명/건강보험 자격득실확인서/고용보험 피보험자격 이력내역서 중 택1	경력산정은 동종업계 근무경력만 인정		
2	대표자 국가기술자격증 사본 또는 국가기술자격 취득사항 확인서 중 택 1			
3	주주명부	법인 사업자는 필수 제출, 신청일 기준 2주 이내 발급분		
4	연구개발조직 인증서(인정서) 사본	신청일 기준 2주 이내 발급분		
5	연구·인력 개발비 사전심사 결과 통지서			
6	수출실적증명서			

벤처기업 인증의 자격 요구사항(Sourced Venturein)

　벤처기업 인증에서는 대표자의 자격 보유 여부도 중요한 서류도 확인된다. 대표자가 국가기술 자격증을 가지고 있는 것인 어떤 도움이 될 수 있을까. 대표자가 국가기술 자격증을 보유하고 있다면 해당 산업에서의 전문가로 활동하고 있거나, 전문성을 기반으로 창업을 했을 가능성이 크다. 설령 대표자가 자격을 보유하고 자격을 활용하여 창업하지 않았다 하더라도 대표자의 자격 보유 여부는 대표자의 경영능력, 기술능력을 확인하는데 가장 쉬운 지표이자 문서가 된다. 그렇다면 자격증뿐만 아니라 수상 실적도 도움이 되는 것이 아닐까?

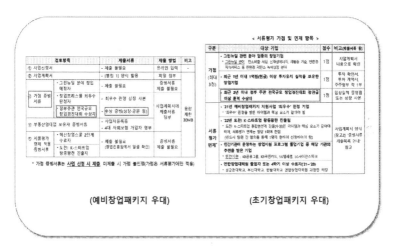

창업 패키지의 수상 실적 우대 사항(Sourced K-start Up)

대표자의 수상 실적은 벤처기업 인증 시에도 중요한 지표로 활용되지만, 지원사업에서도 톡톡한 효과를 발휘한다. 창업 패키지에서는 대표자가 수상한 경우 가점을 부여한다. 가점을 부여하는 대상을 창업경진대회로 한정하고 있지만 비단 창업 패키지뿐만 아니라 여러 지원사업에서는 대표자의 수상 실적이 가점 사항이나 우대 사항으로 적용된다.

신문을 보면 기업이 수상 실적을 얻기 위해 여러 대회에 참가하는 것을 볼 수 있다. 대회나 공모전 등에 참가하는 것도 일인데 단순히 상을 받고 싶어서 나가는 것은 아니다. 수상의 목적도 있지만, 기업은 기업의 수상 실적이 다른 지원사업에도 긍정적인 영향을 준다는 것을 알고 있어서 참가한다.

이런 사실을 알고 있다면 창업자는 예비 창업 단계에서부터 창업 경진대회나 공모전에 적극적으로 참가할 필요가 있다. 경진대회나 공모전에서의 수상이 어떤 우대 사항으로 적용될지 모르니 가능하다면 수상 실적을 최대한 쌓아두는 것이 지원사업에서는 절대적으로 유리할 것이다.

벤처기업 인증의 기술인력 자격 기준(Sourced Venturein)

대표자의 경영능력과 함께 구성원의 역량도 확인한다고 언급했다. 벤처기업 인증을 취득하려면 기업은 기업의 기술인력에 대해서도 자격과 경력을 기술해야 한다. 벤처기업 인증에서는 기술인력이 어느 정도의 기술인력인지 자격 기준을 제시하고 있으며 기술인력이 많을수록 경영능력이 뛰어나고, 기술력이 있다고 판단한다.

창업 패키지 지원사업에서는 대표자의 역량과 함께 팀 구성을 확인한다. 최근에는 대표자가 단독으로 창업하는 것보다 팀 단위로 창업하는 것을 더욱 우대하는 분위기가 조성되어 있다. 1인 창업보다 팀 창업이 더욱 안정성이 있다고 보는 것인데 반드시 팀을 구성한 후에 지원하라는 의미는 아니다. 역량 있는 구성원을 갖추기 위해 예정 팀원을 사전에 확보하라는 의미이다.

정책 목적

정책적으로 지원하는 산업이 일관되면 얼마나 좋을까. 하지만 기업은 유기체이며 산업과 기술은 나날이 발전하고 있다. 성장하는 산업이 있으면 정체되는 산업이 있기 마련이다. 정책적으로 기업을 지원해야 하는 기관은 정책의 효율을 높이기 위해 적은 예산으로 큰 효과를 얻을 수 있는 산업을 지원하려고 한다. 복지와 같이 기업을 지원한다는 의미에서 지원하는 사업들도 있지만, 대부분의 창업 지원사업은 정책의 방향에 따라, 산업의 성장에 따라 목적을 달리한다.

창업 지원사업에 참여하는 창업자나 기업이 카멜레온처럼 때마다 시마다 지원사업에 맞게 아이템을 변경하라는 뜻이 아니다. 지원사업의 정책 방향을 알고 정책 방향에 맞게 지원사업을 준비하라는 의미이다. 지원사업을 정책의 목적에 맞게 준비하라는 의미는 정책의 변화에 따라서 기업을 운영해나가며, 지원사업에 참여하라는 의미와 같다. 정책의 변화를 따르기 위해서 기업은 연초에 진행되는 사업설명회에 참여하는 것이 좋다. 정부 산하의 여러 기관은 지원사업 설명회를 개최하여 지원의 방향과 중요 사업에 대한 주의사항, 주안점을 안내한다.

저자는 사업설명회에 참석하는 것과 더불어 여러 기관의 정책 브리핑이나 정책 동향을 살펴볼 것도 권장하는데 우리 기업이 주로 참여하는 정부 부처의 블로그, 페이스북 등 소셜미디어를 구독할 것을 추천한다. 정부 부처의 소셜미디어에는 최신 동향을 포함하여 각종 통계, 지원사업 정보 등이 카드뉴스와 되어 게시되기 때문에 더욱 쉽고 빠르게 정책 동향을 파악할 수 있다.

중소벤처기업부 블로그(Sourced SMES naverblog)

지원사업을 준비하기 위해 정책 목적을 이해하고 정책에 부합할 수 있도록 준비하는 것은 전략적으로 중요하다. 준비는 앞서 살펴본 여러 준비 요소들이 있지만, 정책에서는 키워드 중심으로 정책 부합성을 만족할 수 있도록 준비해야 한다.

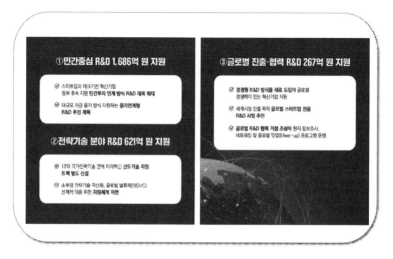

2024년 창업 지원사업 정책 방향 (Sourced SMES naverblog)

2024년 창업 지원사업의 정책 방향은 중소벤처기업부를 통해 알 수 있다. 여러 부처에서 창업기업을 지원하지만, 중소기업의 주무 부처인 중소벤처기업부는 연초 창업 지원사업의 정책 방향과 전년 대비 변경된 점을 공고한다. 2024년 올해도 중점 사항이 몇 가지가 있는데 예산이 어느 방향으로 쓰이는지, 예산은 어떤 산업과 어떤

지원에 집중하고 있는지를 파악하면 기업이 지원사업을 준비하는
데 도움이 될 수 있다.

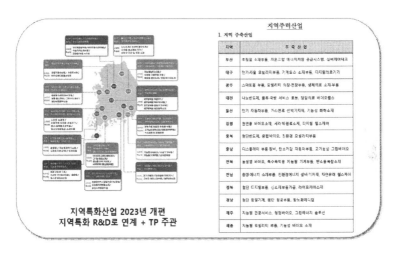

2023년 지역특화산업 (Sourced korea.kr)

지역특화산업(지역주력산업이라고도 한다)은 지역균형 발전과 지
역의 혁신을 위한 기업 전략으로 수립된 정책이다. 정부가 「한국판
뉴딜 종합계획」을 발표하면서 지자체가 자체적으로 뉴딜계획을 발
표한 것에 더하여 지역특화산업을 확립한 것인데, 심화하고 있는
지역의 위기를 극복하고자 마련된 대책이 지역특화산업이라 할 수
있다.

지역특화산업은 2023년에 한 차례 더 개편되었다. 지역특화산업
은 뉴딜정책을 중심으로 지역 펀드 조성과 특화산업에 대한 기술개

발 자금, 판로, 인력 등의 집중지원, 규제 자유 특구 등 뉴딜 거점 조성, 지역균형 뉴딜 촉진을 위한 중앙-지방 간의 협력체계 구축 등을 전략으로 수립하고 세부 과제를 마련하여 지역 기업을 지원하고 있다.

기업이 지역특화산업을 확인해야 하는 이유는 창업 지원사업이 지자체에서도 지원되기 때문이며 지자체의 지원사업은 지역특화산업에 종사하는 기업을 우선하여 지원하기 때문이다. 만약 기업이 지자체 지원사업에 참여하기 위해 어떤 산업을 중점 지원하는지 알고 싶다면 어떻게 정보를 얻을 수 있을까?

가장 쉬운 방법은 지자체 홈페이지에 들어가 정보를 확인하는 것이다. 시도지사의 시정 계획, 시정 방침에는 산업에 대한 전략이 포함되어 있다. 지역특화산업은 지자체에 조성된 산업단지나 특화단지, 지역의 산업 동향을 고려하여 수립되고 개편되기 때문에 우리 지역에 어떤 산업이 중점 지원되는지 알고 싶다면 지자체 홈페이지를 우선 방문해야 한다.

소상공인의 경우 지역의 소상공인 센터를 참고하는 것도 방법이다. 지역에 따라서 소공인특화지원센터가 설립된 곳도 있다. 특화지원센터는 특정 산업에 특화하여 기업을 지원하도록 설립된 기관이기 때문에 기업은 지역특화산업, 특화센터 등을 참고하여 창업 지원사업에 참여할 필요가 있다.

지역특화산업 외에 지방 기업 지원, 지방 활성화를 위해 수립된 정책은 없을까? 정부는 2023년 제1차 지방시대 종합계획을 수립했다.

지방시대위원회 지방시대 종합계획 1차 (2023 ~ 2027)

2023년 지방시대 종합계획 (Sourced korea.kr)

지방시대위원회는 지난 2023년 지방시대 종합계획 1차를 발표하며 본격적인 지방 활성화를 위한 정책을 추진했다. 인구 감소에 따른 지역 활성화를 목표로 정부는 2024년만 수십조 원의 예산을 투자하기로 하였으며 핵심 과제로 인구감소지역 부활 프로젝트와 초광역권 활성화, 지역 정책과제 등에 정책 역량을 집중한다고 밝혔다. 지방시대 종합계획을 살펴보면 지방 활성화를 위해 지역 창업을 활성화한다는 계획이 포함되어 있다. 지방시대 종합계획에는 로컬 창업을 활성화하여 지역 가치를 높이는 창업가를 육성하겠다는 방침이 명확히 수립되어 있는데, 정책이 수립되면 예산을 편성하고 예산을 통해 기업을 지원하게 된다.

단순히 지역 창업가를 지원하겠다 하여 적은 예산으로 생색을 내는 단순 정책이라 생각될 수 있지만, 예상보다 지역 활성화를 위한 정책 방향에는 모두가 동의하는 분위기다. 로컬 창업, 로컬 크리에이터 등 지역 창업 활성화를 위한 지원사업은 예년 대비 예산이 대폭 증액되었으며, 정책이 수립되고 나서부터는 창업가들 또한 정책의 수혜를 위해 지방으로 기업을 이전한다는 말이 적지 않게 현장에서 들린다.

지원사업을 받기 위해 지방으로 간다는 것보다 지역 창업 활성화를 위해 지역 기업들의 수혜를 높이겠다는 정책 취지를 고려하여, 기업이 실질적으로 지방 이전을 고려하고 있을 때 이런 점을 참고하라는 것이 더욱 적합하다. 오랜 시간 IT분야에 종사해온 클라이언트는 서울에 본사를 두고 지방에 지사를 두고 있다. 지방 시대 종합계획도 영향을 주었지만, 지역의 경제 활성화를 위해 여러 기관에서 본사 이전을 강하게 권하고 있다는 것에 마음이 많이 흔들리고 있다고 전했다.

기업이 본사 이전으로 얻는 지원 혜택이 적지 않기 때문에 대표자의 고민을 들으면서 단순한 지원 혜택이라고 보기 어려울 만큼 지방 활성화 정책이 기업에는 큰 이점이 될 수 있다고 생각되었다.

기업이 지방으로의 이전을 고려하는 것은 비단, 이 기업뿐만은 아닐 것이다. 지역마다 조성된 촉진지구, 특구를 볼 때 기업이 지방으로의 이전을 고려하는 것은 기업 지원 측면에서는 충분히 생각해볼수 있는 대안이다.

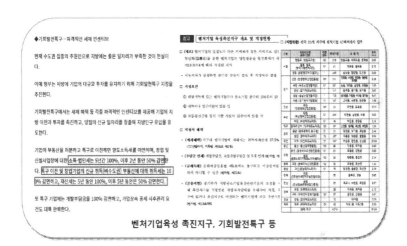

벤처기업육성 촉진지구, 기회발전특구 등

벤처기업육성 촉진지구, 기회발전특구 (Sourced korea.kr, SMES)

정부와 중소벤처기업부를 포함하여 여러 지자체는 산업 활성화와 일자리 창출, 지역 발전을 위해 벤처기업육성 촉진지구를 설립하거나 특구를 설립할 수 있다. 벤처기업육성 촉진지구는 벤처기업의 밀집도가 다른 지역보다 높은 지역으로 벤처기업의 영업활동을 활성화하기 위해 조성된 지역이다. 촉진지구로 지정된 곳은 인프라를 포함하여 금융, 규제 특례 및 세제 혜택의 지원을 받게 된다.

기회발전특구는 지방 자치분권 및 지역균형발전에 관한 특별법에 따라 지방에 기업의 대규모 투자를 유치하기 위해 조성된 지역을 말한다. 기회발전특구에는 세제와 재정 지원, 규제 특례와 정주 여건 등이 패키지로 지원된다. 기회발전특구로 이전하는 기업은 취득 금액의 한도 없이 지방세를 감면받기 때문에 대규모 지방 투자도 고려할 수 있다.

【기회발전특구에 대한 감면 유형】 (지방세특례제한법 제80조의2)

대상 구분	지방세 감면율*
① 본점·주사무소·공장 **이전** (수도권* → 비수도권 특구) * 인구감소지역, 접경지역 제외한 지역	· (취득세) 50% + 최대 50%(조례) · (재산세) 5년간 100% + <u>5년간 최대 50%</u>(조례)
② 특구 내 기업 **창업**	· (취득세) 50% + 최대 50%(조례) · (재산세) 5년간 100% + <u>5년간 최대 50%</u>(조례) (수도권: 취득세 50%+최대 <u>25%(조례)</u>, 재산세 3년 100%+2년 50%)
③ 특구 내 **공장 신·증설**	· (취득세) 50% + 최대 25%(조례) · (재산세) 5년간 75% (수도권: 취득세50%+최대25%(조례), 재산세 5년 35%)

* 적용 감면율이 100%(법정 50%+조례 50%)인 경우 그 산출세액이 취득세 200만원, 재산세 50만원을 초과하게 되면 85%에 해당하는 감면율을 적용(지방세특례제한법 제177조의2)

기회발전특구 감면유형 (Sourced korea.kr)

지방세 감면뿐만 아니라 기회발전특구 내 기업을 창업해도 취득세를 감면받는다. 본점이나 주사무소 등을 수도권에 두고 특구 내에 공장을 신설, 증설하는 때도 취득세를 감면받을 수 있다. 지방 활성화를 위한 정책의 일환이기 때문에 촉진지구 내 이전, 특구로의 기업 이전은 기업으로서 지방 투자를 활성화함과 동시에 기업 이전을 통한 지원사업 수혜를 높이는 방법이 된다.

앞서 기술성에서 벤처기업 인증, 이노비즈 인증 등을 살펴보았다. 기술 관련 인증만 지원사업에서 우대를 받는 것은 아니다. 기업이 특정 산업에 종사하고 있음을 증명하는 것으로도 인증을 받을 수 있는데 대표적인 인증이 소부장 인증, 뿌리 기업 확인서, 녹색 인증 등이다. 이런 종류의 인증은 기업이 해당 산업에 종사하고 있음을 증명하는 인증으로 인증을 통해 다양한 지원사업의 혜택을 부여하고, 기업과 산업의 활성화를 돕는다.

구분	사업명	사업내용	우대내용	문의
인력	산업기능요원제도	병역법에 따라 일병대상자가 병역 지정 업체에 일정기간 근무함으로 군복무를 대체하는 제도	소재부품장비 전문기업 가점 4점	산업지원병역일터
금융	한국은행 금융중개지원 대출제도	지방중소기업에 대한 대출실적과 지역별 경제사정 등을 참안하여 대출지원	선정기준에 소재부품장비 전문기업 포함	한국은행
정부지원사업	소재부품기술개발 사업	제조업 글로벌 경쟁력 제고를 위하여 소재부품기술 개발 지원	주관기관 신청 시 가점 2점	한국산업기술기획평가원
	신뢰성기반활용 지원사업	소재부품 글로벌 경쟁력 확보를 위해 인프라 활용하여 신뢰성 향상	주관기관 신청시 가점 2점	한국산업기술진흥원
	해외규격인증획득 지원사업	해외시장 진출에 필요한 해외규격인증 획득 지원	후기선정 기회를 전문기업에 한하여 부여	한국화학융합시험연구원
	공공조달상생협력 맴버기업 참여자격	소재부품기업 판로 촉진을 맞하여 상생협력을 통해 창산되는 제품 대상 공공조달시장으로 원활한 진출 지원	협력기업으로 참여하기 위한 가격요건으로 전문기업 활용	중소기업유통센터

소재 부품·장비 혜택 (Sourced 소부장넷)

소부장넷에는 인증 취득에 따른 다양한 혜택을 소개하고 있다. 인증 취득이 어렵지 않기 때문에 기업은 간단한 인증 취득을 통해 여러 지원사업의 수혜 기업이 될 수 있다. 소부장 기업과 녹색 기업, 뿌리 산업 등에 종사하고 있는 기업은 인증 취득과 확인서 발급을 통해 정책적으로 꾸준히 지원받을 수 있도록 준비하는 것이 좋다.

소부장 인증을 취득한 기업은 정책자금의 우대 금리를 적용받을 수 있다. 그린 뉴딜 분야에 종사하는 기업은 지원사업 참여 시 가점을 받을 수 있으며, 뿌리 기업 확인서 또한 외국인 고용 시의 혜택이나 지원사업의 혜택을 누릴 수 있다.

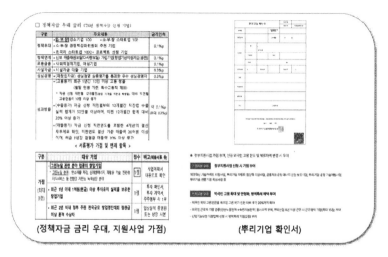

(정책자금 금리 우대, 지원사업 가점)   (뿌리기업 확인서)

소재 부품·장비, 그린뉴딜, 뿌리기업확인서 혜택 (Sourced 소부장넷, KPIC)

혁신성장, 미래유망, 10대 성장 산업 등 정책에서는 다양한 표현을 사용하고 있지만, 정책적으로 초격차, 신산업이라는 말을 주로 사용한다. 초격차, 신산업 분야는 중소벤처기업진흥공단의 정책자금 붙임 자료에서 확인할 수 있다. 정책금융에서는 용도별 대출한도 우대기준에서 초격차, 신산업 분야 기업을 우대한다.

정책금융에서만 단순히 우대하는 것이 아니라 초격차, 신산업 분야는 가파르게 성장하는 산업이므로 R&D나 지원사업에 우선 지원 대상 기업이 되는 경우가 많다. 만약 우리 회사가 초격차, 신산업에 해당한다면 기업은 지원사업의 가점 항목이나 지원요건을 확인하여 기업이 우대를 받을 수 있도록 지원사업에 참여할 필요가 있다.

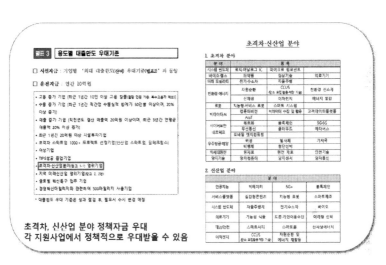

초격차, 신산업 분야 우대 내용 (Sourced KOSMES)

2024년 창업 지원사업 주목할 점

창업 지원사업은 정책 목적과 지원 방향에 따라 매년 수 만 가지 사업이 만들어지고 지원된다. 다수의 중소기업은 창업이라는 단어로 인해 지원사업이 중소벤처기업부를 통해서만 수행할 수 있는 것으로 알고 있지만, 창업 지원사업은 중소벤처기업부를 포함하여 여러 정부 부처와 산하 공공기관, 지자체를 통해서 지원된다. 하지만 정부 부처의 이름에서 알 수 있듯이 창업기업, 중소기업, 소상공인의 주무 부처는 중소벤처기업부이기 때문에 전체적인 지원사업의 지원 방향과 정책 목적 등은 중소벤처기업부의 방향을 따른다.

중소벤처기업부는 매년 지원사업의 중점 변경 사항과 산하 기관의 지원사업 핵심 방향을 발표한다. 중소벤처기업부는 특별히 지원사업 설명회를 개최하여 각 지방청에서 기업들을 만나고 한 해의 지원 방향과 주요 사업들을 소개하는데 기회가 된다면 지방청을 방문하여 설명회에 참석할 것을 추천한다. 지원사업의 방향과 산하기관의 주요 사업, 지원 방향을 듣는 상투적인 자리지만 사업의 담당자가 사업의 지원 방향과 주안점, 변경 사항을 알려주기 때문에 중요한 정보를 얻을 수 있다.

지원사업의 방향은 중소벤처기업부 홈페이지와 주요 소셜미디어를 통해 카드뉴스와 포스팅, 보도자료 형태로 배포되는데 설명회에 참석하기 어려운 기업도 소셜미디어를 통해 공개된 자료만 보더라도 매우 쉽게 지원사업의 방향과 핵심 키워드를 알 수 있다.

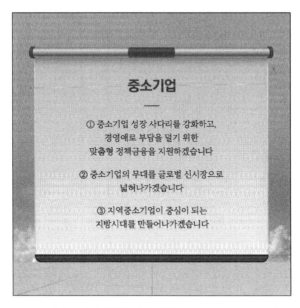

2024년 중소벤처기업부 지원 방향 (Sourced SMES blog)

혁신성장 기업 우대

중소벤처기업부를 통해 발표된 2024년 지원사업의 방향은 3가지로 요약하여 생각해볼 수 있다. 지난 몇 년간 지원사업은 일자리 창출 기업에 초점이 맞추어져 있었다. 코로나라는 특수성, 일자리 창출을 통한 경제 활성화에 정책의 방점이 있었기 때문에 기업에도 고용과 관련된 지표가 매우 중요했다.

엔데믹이 가시화된 2022년부터 기업 지원사업은 글로벌 진출 기업, 수출 기업 우대를 중점으로 혁신성장 기업에 초점을 맞추었다. 중소벤처기업부는 혁신성장 기업을 우대하여 중소기업이 글로벌 신시장으로 진출할 수 있도록 돕는다는 방향을 밝혀왔고 올해는 특히 경영 애로 부담 완화, 맞춤형 정책금융 지원, 지역 중소기업을 통해 지방시대를 열겠다고 발표했다.

중소벤처기업부에서 발표한 보도자료를 통해 살펴보면 혁신성장 기업을 우대하겠다는 것은 고용과 수출, 매출 증가 등 성과를 창출하고 있는 기업에 우선적인 지원을 하겠다는 의미로 풀이된다. 성과를 내는 기업은 확실히 지원하고 성과를 내지 못하여 애로를 겪고 있는 기업은 부담을 완화하겠다는 것이다. 지원에는 중소기업의 생산성 향상도 포함되어 있다. 인구 감소에 따른 중소기업의 인력난 해소를 위해 지원을 아끼지 않겠다는 것으로 보인다.

눈여겨볼 점은 '혁신성장 기업'이라는 단어를 명시했다는 점이다. 앞서 창업 지원사업 준비 매트릭스를 통해 혁신성장 분야를 중소벤처기업진흥공단의 공고를 통해 확인할 수 있다고 언급했다. 지원사업의 방향이 단순히 정책금융의 우대에만 그친다면 이는 중소벤처기업진흥공단의 공고에만 국한되는 것으로 해석할 수 있지만 주무부처인 중소벤처기업부에서 지원사업의 방향을 혁신성장기업으로 언급했기 때문에 기업은 2024년 창업 지원사업 준비에 있어서 반드시 혁신성장 분야에 해당하는지를 확인해야 한다.

필자는 키워드로 혁신성장 분야 활용을 권고한다. 중소벤처기업부에서 중요하다고 발표한 키워드들이 우리 기업의 현재 상황과 맞는지, 수행하고 있는 아이템과 맞는지, 지원사업에 제출하고자 하는 아이템과 맞는지 아닌지를 확인해야 한다. 만약에 맞지 않는다면 사업의 전환, 아이템의 개선, 차별성 부여, 신시장 개척, 시장 진출 등 다양한 방법을 고려하여 지원의 방향과 적합한 키워드는 선택 및 적용이 필요하다.

정책은 매년 바뀌지만 큰 흐름은 바뀌지 않는다. 혁신성장 기업 우대는 2022년부터 등장한 키워드이기 때문에 2024년까지 반복 언급된 것을 보면 앞으로도 기업 지원사업의 핵심 키워드는 혁신성장 기업, 미래유망 기업에 방점이 찍힐 것으로 예상된다. 그렇다면 기업은 혁신성장 분야에 존재하며 사업을 영위해야 한다. 또한, 지원사업을 위해 사업 아이템의 핵심 키워드를 조정해야 한다.

지역 활성화

지역 활성화는 창업 지원사업 준비 매트릭스에서도 언급한 내용이다. 지역 활성화는 지방 시대 종합계획이 수립되었기 때문에 중소벤처기업부 지원사업의 핵심 방향 중 하나로 보아야 한다. 지방 시대 종합계획은 2023년에 수립되어 2024년 올해부터 본격 시행된 정책으로 시행 초년인 올해는 특별한 변화를 느낄 수 없지만 2025년부터 지방 시대를 열기 위해 창업 지원사업에서도 큰 변화가 있을 것으로 예상된다.

중소벤처기업부는 우선 지역 기업의 활력 제고를 위해 정책금융을 수도권과 지방을 40:60의 비율로 구분하여 지원했다. 지역 특화 산업을 2023년에 개편하면서 지역에 특화된 산업을 본격적으로 육성한다고도 밝혔다. 2024년은 정책금융에서 지역 분배를 고려했지만 2025년부터는 산하 기관의 여러 지원사업에서도 지역 기업 우대가 본격적으로 시행될 것이다.

2024년 창업 패키지 지원사업은 수도권 집중화가 이슈였다. 수도권 주관 기관에 지원자가 몰리면서 지원자가 폭증한 주관 기관은 경쟁률이 20:1을 훌쩍 넘겼다는 소문도 있었다. 30개 기업을 선정한다면 자그마치 600여 (예비) 창업자가 지원했다는 뜻이다. 주관 기관마다 정확한 경쟁률이 공개되지 않으니 소문이 사실인지 아닌지는 알 수 없지만, 수도권에 지원이 집중되고 있다는 소문에 이를 피하고자 다수의 지원자가 지역 주관 기관으로 지원을 하게 되면서 지역 창업자들이 도리어 피해를 보았다는 언론 보도도 있었다.

창업 패키지는 수도권에 소재하고 있다 하더라도 주관 기관을 선택해 지방으로 지원할 수 있다. 이로 인해 올해는 수도권에 소재한 창업자가 지원을 받기 위해 지방의 주관 기관으로 다수 신청하는 사례가 속출했고 이는 결국 지역의 경쟁률 심화로 이어져 지역 창업자가 지원을 받지 못하게 되는 애로사항으로 이어졌다.

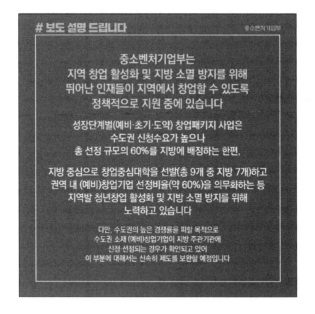

2024년 중소벤처기업부 창업 지원사업 해명 자료 (Sourced SMES)

중소벤처기업부는 이례적으로 창업 패키지 지원사업에 대해 해명 자료를 냈다. 중소벤처기업부의 해명 자료를 보면 총 선정 규모의 60%를 지방에 배정하며, 창업중심대학 또한 지방에 60%를 분배하겠다고 밝히고 있다. 주요 내용은 지역 발 청년 창업 활성화와 지방 소멸 방지를 위해 노력한다는 내용인데 핵심은 하단에 기재된 내용이다.

'수도권의 높은 경쟁률을 피할 목적으로 수도권에 소재한 (예비) 창업기업이 지방 주관 기관에 신청하거나 선정되는 경우는 제도를 보완하겠다.'

중소벤처기업부의 해명 자료의 내용대로라면 2025년 창업 지원사업은 지역 비율이 60% 이상 확정적이며, 수도권 (예비) 창업자가 지방으로의 지원이 어렵게 된다. 지방 시대 활성화 정책이 본격적으로 시행되는 2025년이라는 점과 창업 지원사업에 대한 중소벤처기업부의 의견이 이렇다면 기업은 수도권에 포화한 경쟁을 벗어나 지역으로의 이전이나 창업도 이제는 고려할 필요가 있다.

안전망 구축

지원사업은 무조건 성장하는 기업만을 향하지 않는다. 성장하는 기업이 있다면 정체되어 있거나 폐업에 이르기까지 어려움을 겪는 기업도 있기 마련이다. 따라서 중소기업과 소상공인을 위한 안전망 구축은 올해 처음으로 시작된 정책은 아니다. 그동안 중소벤처기업부에서는 안전망 구축을 위해 다양한 지원제도를 수립하고 기업을 지원해왔는데, 2024년 카드뉴스를 통해 발표한 내용은 구축된 안전망에 대한 변경내용과 지원 방향에 관한 내용이었다.

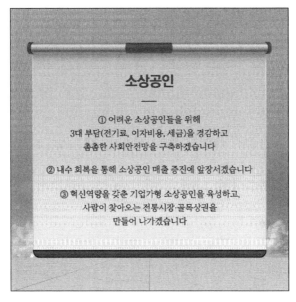

소상공인
—

① 어려운 소상공인들을 위해
3대 부담(전기료, 이자비용, 세금)을 경감하고
촘촘한 사회안전망을 구축하겠습니다

② 내수 회복을 통해 소상공인 매출 증진에 앞장서겠습니다

③ 혁신역량을 갖춘 기업가형 소상공인을 육성하고,
사람이 찾아오는 전통시장·골목상권을
만들어 나가겠습니다

2024년 중소벤처기업부 지원 방향 (Sourced SMES)

코로나 19를 통과하면서 엔데믹으로 소비 활성화가 시작될 것으로 예상하였지만 코로나가 남긴 것은 경기 불안정과 고금리, 고물가로 인한 소비심리 위축이었다. 매우 빠르게 퍼진 소비심리 위축과 예상보다 고금리, 고물가가 지속하면서 소비자는 외식 비용을 아끼거나 소비 자체를 줄이게 되었다. 소비자가 지갑을 닫으면 가

장 먼저 피해를 보는 계층이 소상공인이다. 중소벤처기업부에서는 이런 흐름을 먼저 예상하고 2024년 소상공인을 위한 안전망 구축에 대해서 발표했다.

안전망은 소상공인들의 3대 부담(전기료, 이자 비용, 세금)의 경감과 매출 증진에 있다. 안전망의 내용은 이차 보전을 통한 우대 지원을 지속하는 것이 주요 골자이며 재창업이나 폐업을 지원하는 한도를 상향함으로써 소상공인이 재기할 수 있는 발판을 마련하도록 돕는다. 재난 지원금 환수 면제나 고용보험료 지원 등 다양한 지원 내용이 포함되어 있는데 중소벤처기업부는 안전망뿐만 아니라 소상공인 중에서도 강한 소상공인, 기업가형 소상공인을 발굴하여 혁신적인 기업으로 성장시키겠다는 방침도 밝혔다.

창업·벤처기업 지원 증액

올해 중소벤처기업부 예산과 지원 방향에서 가장 도드라진 변화는 창업·벤처기업 지원의 증액이었다. 중소벤처기업부는 혁신성장의 동력을 창업기업, 벤처기업에 두고 있다. 스타트업 코리아를 실현하고자 하는 중소벤처기업부는 지원 증액을 통해 글로벌 창업 대국으로 도약하겠다고 밝혔고 민간이 주도하는 벤처 투자 생태계를 조성하겠다고 말했다.

중소벤처기업부의 이러한 발표는 예산에 고스란히 드러났다. 중소벤처기업부는 스타트업 지원 강화(투자 등)를 위해 스타트업 코리아 펀드를 5,000억 원 이상 조성하는 것을 목표로 하고 있으며 로컬크리에이터 등 지역 창업을 지원하기 위해 지역벤처펀드 또한 약 5,000억 원까지 확대할 예정이다.

벤처기업에 대해서는 민간이 주도하는 벤처 생태계 조성을 목표로 2024년 7월까지 벤처기업 신성장 로드맵을 수립한다. 앞서 소개한 벤처기업 인증제도도 유형 변경 등 제도를 수정하여 더욱 다양한 벤처기업을 발굴할 계획이다.

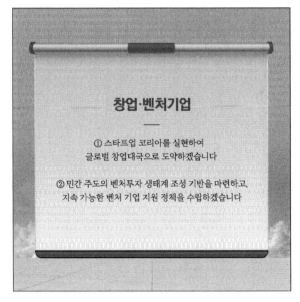

2024년 중소벤처기업부 지원 방향 (Sourced SMES)

키워드로 보는 *2024년 중소벤처기업부 예산 방향*

소상공인 융자	• 2023년 3조원 -> 2024년(안) 3조 8,000억원 (26.7% 증액) • 증액 8천억 중 대환대출 5,000억원

소상공인 보증	• 지역신용보증재단 재보증 : 2023년 1,254억원 -> 2024년(안) 1,409억원 (155억, 11% 증액) • 전체 보증규모 : 2024년(안) 44.8조원

소상공인 지원사업	• 희망리턴패키지 : 2023년 1,464억원 -> 2024년(안) 1,513억원(49억원, 3.3% 증액) • 자영업자 고용보험료 : 2023년 50억원, 2.5만명 -> 2024년(안) 150억원, 4만명(100억원, 200% 증액)
	• 기업가형소상공인육성 : 2023년 387억원 -> 2024년(안) 524억원(137억원, 35.4% 증액) • 신사업창업사관학교 : 2023년 199억원 -> 2024년(안) 196억원(3억원, 1.5%증액) • 강한소상공인성장지원 : 2023년 130억원 -> 2024년(안) 239억원(109억원, 83.8%증액) • 지역가치 창업가(로컬크리에이터) 육성 : 2023년 54.4억원 -> 2024년(안) 68.5억원(14.1억원, 25.9%증액)
	온라인 쇼핑몰, TV홈쇼핑, 배달앱 유통 지원 (4만명) 영상 촬영, 교육, 상담(컨설팅) 제공 (2만 5천명) • 소상공인 스마트상점 기술보급 : 2023년 313억원 → 2024년(안) 344억원(31억원, 9.9% 증액) • 소상공인 온라인 판로지원 : 2023년 944억원 → 2024년(안) 1,007억원(63억원, 6.7% 증액)

※ Keyword : 재도전, 지역 창업, 로컬크리에이터, 강한 소상공인,

소상공인 온라인 판로 지원, 판판대로

중소기업 지원사업	글로벌 창업허브(스페이스K) 신설 -> 시범사업 후 2025년에 본격 가동 글로벌 팁스 트랙신설(20개사), 투자를 유치한 스타트업 지원 강화 • 민관공동창업자발굴육성(팁스) : 2023년 1,101억원 → 2024년(안) 1,304억원(203억원, 18.4% 증액)
	초격차 스타트업 1,000 + 프로젝트 중요성 증대 10대 미래 신산업 창업기업 지원 (2024년 500개사) • 초격차 스타트업 1000+프로젝트 : 2023년 1,072억원(舊. 혁신분야창업패키지) → 2024년(안) 1,031억원(41억원, 3.8% 증액) • 10대 미래 신산업 ❶시스템반도체, ❷바이오·헬스, ❸ 미래 모빌리티, ❹ 친환경·에너지, ❺ 로봇, ❻ 빅데이터·인공지능(AI), ❼사이버보안·네트워크, ❽우주항공·해양, ❾차세대원전, ❿양자기술

※ Keyword : TIPS 확대, 10대 미래 신산업, 투자 유치 강화

중소기업 지원사업	벤처투자활성화를 위한 모태펀드 출자예산 대폭 확대 : 스타트업 코리아 펀드, 글로벌 펀드 등 1조원대 펀드 조성 • 중소기업모태조합출자 : 2023년 3,135억원 → 2024년(안) 4,540억원(1,405억원, 44.8% 증액)
	해외마케팅, 법률, 통번역 등 수출 중소기업 서비스 바우처 지원 수출 다변화 지표 확대, 글로벌비즈니스센터 추가 설치 • 수출바우처 : 2023년 1,017억원 → 2024년(안) 1,119억원(102억원, 10% 증액) • 글로벌비즈니스센터 : 2023년 175억원 → 2024년(안) 178억원(3억원, 1.7% 증액)

※ Keyword : 모태펀드 투자 확대, 수출바우처, 수출 다변화

중소기업 지원사업	2023년 본예산 대비 4,681억원이 증가한 4.7조원 규모 융자금 반영 납품 발주서를 근거로 생산자금을 대출하는 새로운 융자프로그램 추진 • 신성장기반자금 : 2023년 1조 1,931억원 → 2024년(안) 1조 5,289억원(3,358억원, 28.1% 증액) • 창업기반지원 : 2023년 1조 9,300억원 → 2024년(안) 1조 9,458억원(158억원, 0.8% 증액) • 동반성장네트워크론 : 2024년(안) (신설) 1,000억원

※ Keyword : 융자금 증액 (신성장 기반, 창업기반 지원 증액)

키워드로 보는 2024년 창업 지원사업 정책 방향

창업지원사업 예산, 3조 7,121억 원으로 전년 대비 514억 원(1.4%) 증가

☑ '팁스(TIPS)' 프로그램을 1,925개사, 4,715억 원으로 대폭 확대 지원

☑ '초격차 스타트업1000+ 프로젝트'는 505개사, 1,031억 원 규모 지원

☑ 국내 창업기업의 글로벌시장 진출과
   해외 인재의 국내 창업 활성화를 위한 지원 확대

☑ 재창업 융자자금을 1,000억 원('23년 750억 원)으로 확대 지원

☑ '창업중심대학'은 750개사, 675억 원의 규모로 지원하고
   '생애최초 청년창업 지원사업'은 78명, 51.34억 원 지원

☑ 지역 특화사업 및 인프라 조성사업 등 지원

www.k-startup.go.kr

2024년 창업진흥원 창업 지원사업 지원 방향 (Sourced K-start Up)

· 벤처 투자 생태계 활성화   · 초격차 스타트업 육성
· 글로벌 시장 진출 지원   · 재창업, 재도전 확대
                           · 지역특화산업 개편 및
· 창업중심대학 지원 확대   지역창업
· 소상공인 온라인 판로개척   · 기업가형 소상공인 육성

창업 단계별 추천 지원사업

　어떤 강사나 컨설턴트들은 창업 단계별 지원사업을 로드맵으로 제시한다. 이 사업을 지원받고 다음 사업을 지원받으며 마치 사업들이 하나로 연결된 것처럼 제시하여 동시다발로 마치 당연히 받을 수 있는 것처럼 기업을 호도한다. 같은 아이템으로 여기서도 받고 저기서도 받을 수 있으며, 받지 못하면 정보에 무디거나 시대에 뒤처진 기업인 것처럼 말하기도 한다. 창업 지원사업에서 중복성 검토를 하지 않은 때에는 이런 일이 가능했을지도 모른다. 기관의 눈을 가리고 마치 지원을 받지 않은 것처럼 속였다면 또한 가능했을 수도 있다. 하지만 요즘은 다르다. 기관에서 중복성 검토를 수행하고 있으며, 선정되었고 협약을 맺었다 하더라도 같은 아이템으로 지원받은 것이 확인되면 선정을 취소할 수 있다.

과거와 달리 중복성 검토 기술은 점점 진화하고 있다. 최근 다녀온 평가에서는 중복성 검토를 수행하여 기업이 이전에 도전한 지원사업과 사업계획서가 얼마나 유사한지를 검토한 문서가 눈앞에 놓여있기도 했다. 중복성은 두 가지로 검토되는데, 기업이 앞서 지원받은 아이템과 지원하고자 하는 아이템이 얼마나 유사한지를 확인하며, 타 기업이 지원한 아이템과도 유사성을 검토한다.

내 아이템이든 타 기업의 아이템이든 이미 지원된 아이템과의 중복성을 검토한다는 것인데 기관에서는 중복성이 일정 수준을 넘어서면 중복 과제라고 판단하여 평가에서 제외될 수 있다고 평가 위원에게 설명한다. 다행히 아직은 중복성 검토를 깊이 있게 하진 않기 때문에 평가에서 제외될 정도로 중복성을 문제 삼진 않는다.

하지만 이 또한 기관마다 다르며 지원사업마다 다르다. 이미 중소벤처기업부에서는 창업 지원사업에 대하여 중복성 검토를 수행할 것이라 발표했기 때문에 앞으로 창업 지원사업에 한해서는 사업계획서의 중복성이 없도록 기업이 여러 지원사업에 도전하는 것에 대해서 스스로 주의해야 한다.

기업은 동시에 여러 사업에 도전할 수는 있지만, 선정된다면 여러 사업 중 하나의 사업을 선택해야 한다. 사업화라면 사업화 단계의 사업은 한 기관에서 하나의 사업만 선택하여 지원받을 수 있다. 창업진흥원의 창업 중심대학과 예비창업패키지에 동시에 선정되었다면 둘 중 하나를 선택해야 한다는 뜻이다. 만약 예비창업패키지가 선정되고 에코 스타트업 예비 창업자 분야에 선정이 되었다고 하더라도 둘 중 하나만 선택해야 한다. 주무 부처가 다르지만 같은 창업 단계의 유사한 성격의 지원사업이기 때문에 이 사실을 기관에 알리고 중복 수혜 여부를 꼭 검토받아야 한다.

중복 수혜를 받지 못하고 하나만 받아야 한다면 기업으로서는 여러 사업을 동시에 수행하지 못하니 지원을 조금만 받는다고 생각될 수 있다. 하지만 앞서 언급한 내용을 기업은 명심해야 한다. 지원사업은 마중물이므로 100% 성공 책임제나 보상처럼 받는 것이 아니다. 만약 지원사업을 여러 가지 받을 수 있다고 가정해 보면, 만에 하나 그런 기업이 천 개, 만 개라면 기업 지원 예산은 남아나지 않을 것이다.

지원사업은 예산이 한정적이므로, 취지와 목적에 맞게 기업을 지원하여 정책적인 효과를 크게 거두어야 한다. 따라서 우수한 기업이 여러 지원을 받는 것도 중요하지만 다수의 기업이 취지와 목적에 맞게 혜택을 받아 다양한 분야에서 고른 성과를 내는 것이 중요하다. 그래서 요즘 지원사업은 산업별, 지역별, 시기별 여러 요소를 고려하여 지원사업을 분배하려 한다. 일부 기업에 지원사업이 집중되는 것을 방지하기 위함인데 만약 이러한 흐름이 앞으로도 이어진다면 기업은 중복 수혜를 노리기보다는 단계에 따라 지원을 받을 수 있도록 전략적인 지원사업 도전전략을 수립하는 것이 좋다.

창업진흥원의 지원사업으로 보는 창업단계별 추천 지원사업

단계적인 접근 전략을 수립한다고 해서 반드시 지원사업에 선정이 되는 것은 아니다. 아이템이 아무리 좋아도 기업이 지원사업에 선정되는 것은 별개의 문제이다. 평가에는 여러 요소가 작용하기 때문에 아무리 신기술이며 뛰어난 사업성을 갖고 있다 하더라도 반드시 지원사업에 선정되는 것은 아니다. 따라서 단계적인 접근 전략은 전략으로 수립하되, '반드시'라는 주석을 달지 말고 단계에 따라 받을 수 있도록 지속해서 노력하는 계획으로 삼아야 한다.

창업 지원사업의 대표 기관은 창업진흥원이다. 중소벤처기업부의 창업 지원사업을 주관하는 창업진흥원은 창업 패키지, TIPS 등 이름있는 사업들로 창업자들 사이에서는 널리 알려진 기관에 속한다. 창업진흥원의 창업 지원사업은 다양하다. 창업 교육부터 사업화 지원, 인프라 및 시스템 구축까지 창업진흥원은 다양한 분야를 지원하는데 여러 사업 중에서도 유독 인기 있는 사업은 창업 패키지처럼 사업화 자금을 지원하는 사업들이다. 왜냐하면, 사업화 자금은 상환의무가 없지만 지원액수가 커서 예비 창업자나 창업기업들이 도전할 만큼 충분히 매력적인 지원사업들이기 때문이다.

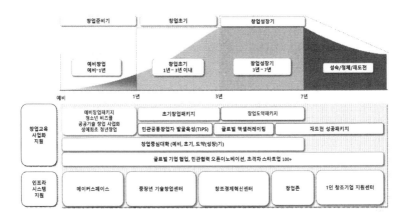

창업진흥원의 지원사업의 단계별 추천사업 (Sourced K-start Up)

　상환하지 않아도 되는 큰 액수의 지원금을 받을 수 있다면 예비
창업자나 창업 초기기업으로서는 사업을 운영하는 데 있어서 큰 힘
을 얻을 수 있다. 따라서 기업은 오래전부터 사업화 자금을 지원하
는 사업들을 주목해왔는데, 해당하는 사업들을 기업의 성장단계별
로 구분하여 정리하면 위의 그림과 같이 정리할 수 있다.

　예비 단계에 있는 창업자들에게는 단연 예비창업패키지가 가장
인기 있는 사업이다. 예비창업패키지만 유일하게 예비 창업자를 지
원한다고 알고 있는 창업자들이 많은데 예비창업패키지만 예비 단
계의 창업자를 지원하진 않는다. 생애 최초 청년 창업 지원사업은
30세 미만 청년 예비 창업자들만을 대상으로 하여 창업 사업화를
지원한다. 공공기술 창업 사업화 지원사업은 공공기술을 활용하여
창업을 희망하는 예비 창업자를 지원한다.

3년 미만의 창업 초기기업을 대상으로 하는 지원사업은 초기창업 패키지가 대표적이다. 초기 창업 패키지도 예비 창업 패키지와 구조가 같다. 같은 시기에 예비 창업 패키지와 초기 창업 패키지 지원사업 공고가 게시되기 때문에 지원하지 못한다고 생각할 수 있지만, 예비 창업 패키지를 완료한 기업은 초기 창업 패키지에 도전할 수 있다.

사업경력 3년 이상 창업 성장기에 해당하는 도약 기업은 창업도약 패키지 지원사업에 참여한다. 창업도약 패키지 지원사업에 참여하는 기업은 신사업 진출을 위해 사업화 자금을 조달하려는 목적이 많다. 이미 사업을 활발하게 영위하고 있는 기업들이 창업도약 패키지에 참여하는 경우가 많으므로 창업도약 패키지는 지원사업의 목적에 따라 마중물의 역할을 톡톡히 해내고 있는 지원사업으로 유명하다.

창업진흥원에서는 창업에 재도전하는 창업자를 지원하기도 한다. 재도전 성공 패키지는 한 차례 폐업한 경험이 있는 창업자를 대상으로 재도전할 기회를 부여하기 위해 사업화 자금을 지원한다. 최근에 재도전 패키지에 합격한 창업자를 돕기도 했는데, 아이템의 신선도를 포함하여 폐업한 경험을 다음 창업에 어떻게 활용할 것인지를 중점적으로 보았다는 뒷얘기를 들었다.

창업중심대학은 지역의 창업 허브의 역할을 하는 기관이다. 전국 9개 권역에 있는 창업중심대학은 예비, 초기, 도약 단계의 창업자를 지원한다. 창업중심대학이 창업자를 지원한 지 얼마 되지 않았기 때문에 창업자들이 창업중심대학이 사업화 자금을 지원한다는 사실을 잘 모른다. 하지만 패키지뿐만 아니라 창업중심대학에서도 단계별 창업자를 지원하고 있으므로 창업자들은 반드시 패키지만이 유일한 사업화 자금이라고 생각하지 말고 지원사업을 꾸준히 조사하면서 기업의 성장단계에 따라 여러 사업을 전략적으로 지원해야 한다.

창업 단계별 2024년 추천 지원사업 (예비 단계)

창업진흥원을 포함하여 예비 단계의 기업을 대상으로 추천 지원 사업을 표로 정리한 내용은 다음과 같다. 일부 부처만을 대상으로 발췌한 자료이기 때문에 지자체 지원사업 및 일부 기관의 지원사업은 제외되어 있다.

사업명	사업개요	지원내용	지원대상	예산 (억원)	사업공고일	소관부처	전담(주관) 기관	비고
예비창업 패키지	혁신적인 기술창업 아이디어를 보유한 예비창업자의 성공 창업 및 시업하는 지원을 통한 양질의 일자리 창출	①사업화자금 ②창업프로그램 ③멘토링	예비창업자 (공고일 기준 사업자(개인, 법인) 등록 및 법인 설립등기를 하지 않은 자)	629.77	'24.1월말	중소벤처 기업부 (기술창업과)	창업진흥원 (예비초기창업실)	
창업중심 대학	창업 역량이 우수한 대학을 창업중심대학으로 지정하여 대학별 창업을 활성화하고 지역창업 허브 역할 수행하기 위한 사업으로 대학별 창업기업 및 지역특화 창업기업 지원	사업자금, 민간연계, 투자유치, 글로벌 진출 등 역량 강화 프로그램 지원	예비창업자 및 창업기업	674.75	'24.1월	중소벤처 기업부 (청년정책과)	창업진흥원 (청년창업실)	청년지원 창업사업
생애최초 청년창업지 원	생애최초로 창업에 도전하는 청년(만 29세 이하) 예비창업자를 발굴 육성하기 위한 사업으로 창업기술 교육, 전문 멘토링, 시제품 개발비 등을 지원하여 창업성공을 제고	사업화자금, BM고도화, 교육·멘토 지원, 창업활동비 지원	생애최초*로 기술기반 창업을 희망하는 만 29세 이하 예비창업자 ·공고일 기준 사업자등록 이력이 없는 자	51.34	'24.1월	중소벤처 기업부 (청년정책과)	창업진흥원 (청년창업실)	청년지원 창업사업
공공기술창업사업화 지원	공공기술을 활용하여 창업을 희망하는 청년(만 39세 이하) 예비창업자(팀)을 발굴 육성하기 위한 사업으로 사업화자금, 비즈니스모델 고도화, 교육 및 멘토 지원	사업화자금, BM고도화, 교육·멘토 지원 등	공공연구기관이 개발한 기술 활용을 통해 창업을 희망하는 만 39세 이하 예비창업자(팀)	18.34	'24.1월	중소벤처 기업부 (청년정책과)	창업진흥원 (청년창업실)	청년지원 창업사업

사업명	사업개요	지원내용	지원대상	예산 (억원)	사업공고일	소관부처	전담(주관) 기관	비고
로컬크리에이터 육성사업	지역의 자원과 특색 등을 기반으로 혁신적인 아이디어를 접목하여 창업하는 로컬크리에이터를 육성	로컬크리에이터의 비즈니스모델(BM) 구체화, 브랜딩, 마케팅, 네트워킹 등 성장단계별 맞춤형 프로그램 제공	로컬크리에이터	68.48	'24.1~2월	중소벤처 기업부 (소상공인성 장촉진과)	소상공인시장 진흥공단 (창업지원실)	
에코스타트업 지원사업	녹색산업분야 유망 창업 아이템이 있는 예비창업자의 창업기업의 아이디어·기술의 사업화를 위한 성장 지원	① 예비창업자 ② 창업기업(업력 7년 이내) ③ 성장형창업기업(업력 7년이내, 기투자이력 10~100억) ③ 39세 이하의 예비창업자 ③ 39세 이하 대표의 3년 이내의 창업기업	① 예비창업자 ② 창업기업(업력 7년 이내) ③ 39세 이하의 예비창업자 ③ 39세 이하 대표인 7년 이내의 창업기업	229	'24.1~2월	환경부 (녹색산업 신과)	한국환경산업 기술원 (녹색융합 클러스터운영단)	
대한민국 물산업 혁신창업 대전	전국민, 물기업이 참가하는 대한민국 물산업 혁신 아이디어 경진대회로 창업기업 발굴·지원을 통해 물산업의 저변을 강화하고 물산업 생태계 활성화 도모	①사업비 지원금 ②멘토링, 시제품 제작 ③해외진출지원 등	예비창업자 및 7년 이내 창업기업	3	'24.6월	환경부 (물산업혁신 과)	한국수자원공사 (창업혁신부)	

90

사업명	사업개요	지원내용	지원대상	예산(억원)	사업공고일	소관부처	전달(주관)기관	비고
・스포츠산업 창업 지원	스포츠산업 초기 스타트업 육성 및 유망 스포츠 기업 성장 촉진	①기업지원금 ②교육 및 컨설팅 ③시제품 제작 ④네트워킹	예비창업자, 7년 미만 창업기업	105	'24.2월 예정	문화체육관광부 (스포츠산업과)	국민체육진흥공단 (창업일자리지원팀)	사회적기업 전담센터 운영
・콘텐츠 아이디어 사업화 지원	민간 창업지원기관 연계를 통한 예비창업 생태계 조성	①사업화 자금 ②컨설팅·멘토링	창업지원기관 및 콘텐츠 분야 예비창업자(팀)/창업 1년 이내 기업	13.6	'24.1~3월	문화체육관광부 (문화산업정책과)	한국콘텐츠진흥원 (기업육성팀)	
・전통문화 청년창업 육성지원 사업	청년들의 전통문화산업 진입지원 및 분야 간 융합 촉진	①사업화 자금 ②교육·멘토링 ③프로모션(네트워크 유통보급 확대, 홍보 등)	전통문화산업 분야에서 창업하고자 하는 만39세 이하 예비창업자 및 39세 이하 3년이내 창업기업 대표자 「문화산업진흥 기본법」제2조제1호자목	35.7	'24.3~4월	문화체육관광부 (전통문화과)	한국공예디자인문화진흥원 (전통문화산업팀)	청년지원 창업사업
・관광벤처사업 공모전	관광분야에 특화된 맞춤형 창업 교육, 사업화, 판로개척 지원 등	①사업화 자금 ②교육 컨설팅 ③협업 네트워킹 등	관광분야 예비창업자, 초기기업(~3년), 성장기(3년~7년) 등	118.1	'24.2월	문화체육관광부 (관광산업정책과)	한국관광공사 (관광기업창업팀)	

사업명	사업개요	지원내용	지원대상	예산(억원)	사업공고일	소관부처	전달(주관)기관	비고
・신사업창업 사관학교	전국에 소상공인 창업을 지원하는 플랫폼인 신사업창업사관학교를 설치·운영하여 신사업 등 유망 아이디어와 아이템을 보유한 소상공인의 준비된 창업 촉진	신사업 등 유망 아이디어와 아이템을 활용한 예비창업자를 선발하여 창업교육, 점포경영체험, 사업화 자금 지원	예비창업자	196.4	'24.2~3월	중소벤처기업부 (소상공인정책진흥과)	소상공인시장진흥공단 (창업성장팀)	
・농식품 벤처육성지원	농식품 분야 창업지원을 위해 사업화 자금지원 및 투자유치 판로개척을 위한 특화프로그램 제공	사업화지금	농식품 분야 예비창업자 및 창업기업	131.3	'24.1월	농림축산식품부 (스마트농업정책과)	한국농업기술진흥원 (벤처사업팀, 창업육성팀)	

창업 단계별 2024년 추천 지원사업 (초기 단계)

사업자 등록 이후 사업경력 3년 미만까지의 초기 창업기업을 지원하는 지원사업은 다음과 같다.

사업명	사업개요	지원내용	지원대상	예산(억원)	사업공고일	소관부처	전달(주관)기관	비고
・민관공동창업자 발굴육성사업	창업기획자, 초기전문VC 등 민간의 선별능력을 활용하여 발굴한 유망 기술창업기업 대상으로 사업화·마케팅 자금을 지원하고 팁스 기업, 팁스 운영사 등이 입주가능한 인프라인 팁스타운 운영	①시제품 제작 ②마케팅 지원·마케팅 ③후속사업화 자금	팁스(TIPS) R&D에 선정된 창업비 기업 중 업력 7년 이내 기업 ・신산업 분야 창업기업의 경우 업력 10년 이내	1,303.6	'24.1월	중소벤처기업부 (기술창업과)	창업진흥원 (민관협력창업실)	
・초기창업 패키지	유망 초기창업기업(업력3년 이내)을 대상으로 사업화자금, 창업프로그램 등을 제공 창업 기술혁신 및 성장 지원	①사업화 자금 ②창업프로그램	업력 3년 이내 초기창업기업	548.60	'24.1월말	중소벤처기업부 (기술창업과)	창업진흥원 (예비초기창업실)	
・초격차 스타트업1000+ 프로젝트	시스템반도체, 바이오·헬스 등 10대 신산업 분야의 혁신기술 및 글로벌 진출 역량을 보유한 유망 창업기업을 선발하여 사업화 및 스케일업 지원	①사업화 자금 ②특화 프로그램 ③연계지원 (기술개발, 정책자금, 보증 등)	신산업 분야 업력 10년 이내 창업기업	1,031	'24.2월	중소벤처기업부 (미래산업전략팀)	창업진흥원 (혁신창업실)	
・창업중심대학	창업지원 역량이 우수한 대학을 창업중심대학으로 지정하여 대학발 창업을 활성화하고 지역창업 허브 역할을 수행하는 사업으로 대학발 창업기업 및 지역특화 창업기업 지원	사업화자금, 민간연계, 투자유치, 글로벌 진출 등 역량 강화 프로그램 지원	예비창업자 및 창업기업	674.75	'24.1월	중소벤처기업부 (청년정책과)	창업진흥원 (청년창업실)	청년지원 창업사업

사업명	사업개요	지원내용	지원대상	예산(억원)	사업공고일	소관부처	전담(주관)기관	비고
· 창업성공패키지 (청년창업사관학교)	유망 창업아이템 및 혁신기술을 보유한 우수 창업자를 발굴하여 창업사업화 등 창업 全 단계를 패키지 방식으로 일괄지원하여 성공창업기업 육성	①사업화 자금 ②창업 교육·코칭 ③창업공간 ④입주지원 ⑤연계지원 (정책자금,투자 판로 등)	만 39세 이하, 창업 3년 이내 기업	793.2	'24.1월	중소벤처기업부 (청년정책과)	중소벤처기업진흥공단 (창업지원팀)	청년지원 창업사업
· 로컬크리에이터 육성사업	지역의 자원과 특성 융합 기반으로 혁신적인 아이디어를 접목하여 창업하는 로컬크리에이터 육성	로컬크리에이터의 비즈니스모델(BM) 구체화, 브랜딩, 마케팅, 네트워킹 등 성장단계별 맞춤형 프로그램 제공	로컬크리에이터	68.48	'24.1~2월	중소벤처기업부 (소상공인성장촉진과)	소상공인시장진흥공단 (창업지원실)	
· 글로벌 ICT 미래 유니콘 육성	글로벌 성장 잠재력이 높은 ICT 유망기업을 발굴하여 해외진출, 자금지원 연계 등 종합 지원을 통해 미래 유니콘 기업으로 육성	① 보증지원 연계 ② 글로벌 진출 지원 ③ 민간투자 연계 ④ 창업벤처 지원 유관기관 연계	글로벌 역량을 갖춘 ICT 또는 ICT 기반 융복합분야 중소기업	24.09	'24.2~3월	과학기술정보통신부 (정보통신산업기반과)	정보통신산업진흥원	해외진출
· 대한민국 물산업 혁신창업 대전	전재, 물기업이 참가하는 대한민국 물산업 혁신 아이디어 경진대회로 창업기업 발굴·지원을 통해 물산업의 저변을 강화하고 물산업 생태계 활성화 도모	①사업화 지원금 ② 멘토링, 시제품 제작 ③최외진출지원 등	예비창업자 및 7년 이내 창업기업	3	'24.6월	환경부 (물산업협력과)	한국수자원공사 (창업혁신부)	

사업명	사업개요	지원내용	지원대상	예산(억원)	사업공고일	소관부처	전담(주관)기관	비고
· 스포츠산업 창업 지원	스포츠산업 초기 스타트업 육성 및 유망 스포츠 기업 성장 촉진	①기업지원금 ②교육 및 컨설팅 ③시제품 제작 ④네트워킹	예비창업자, 7년 이만 창업기업	105	'24.2월 예정	문화체육관광부 (스포츠산업과)	국민체육진흥공단 (창업일자리지원팀)	사회적기업 전담센터 운영
· 예술기업 성장 지원	예술분야 성장단계유형별 사업 자금, 사업화 및 투자유치 등 자원 연계 지원	①사업화 자금 ②교육 및 컨설팅 ③민간자율 유지 등 외부사업	창업 7년 이내 기업	73	'24.2월	문화체육관광부 (예술정책과)	예술경영지원센터 (기업육성팀)	청년지원 창업사업
· 스포츠산업 창업중기 (액셀러레이팅) 지원	전문창업기획자의 액셀러레이팅를 통한 유망 스포츠기업의 투자유치 역량강화 및 초기후수 투자 지원	①기업지원금 ②교육 및 컨설팅 ③투자 지원 ④네트워킹	7년 이만 창업기업 (예비창업자 제외)	42	'24.2월 예정	문화체육관광부 (스포츠산업과)	국민체육진흥공단 (기업육성팀)	투자유치 역량강화 특화
· 콘텐츠 아이디어 사업화 지원	민간 창업지원기관 연계를 통한 예비창업 생태계 조성	① 사업화 자금 ② 컨설팅·멘토링	창업지원기관 및 콘텐츠분야 예비창업자(팀)/창업 1년 이내 기업	13.0	'24.1~3월	문화체육관광부 (문화산업정책과)	한국콘텐츠진흥원 (기업육성팀)	

사업명	사업개요	지원내용	지원대상	예산(억원)	사업공고일	소관부처	전담(주관)기관	비고
· 콘텐츠 초기기업 육성지원	콘텐츠 분야 민간 액셀러레이터와 스타트업 간 연계 지원을 통한 성장 지원	① 사업화 자금 ② 컨설팅·멘토링 ③ 투자유치 지원	민간 콘텐츠 액셀러레이터 및 콘텐츠 분야 초기 스타트업 (창업 3년 이하)	48.2	'24.1~3월	문화체육관광부 (문화산업정책과)	한국콘텐츠진흥원 (기업육성팀)	
· 전통문화 청년창업 육성지원 사업	청년들의 전통문화산업 진입지원 및 분야 간 융합 촉진	①사업화 자금 ②교육·멘토링 ③프로모션(네트워크, 유통처 발굴 확대, 홍보 등)	전통문화산업분야에서 창업하고자 하는 만39세 이하 예비창업 및 39세 이하 3년이내 창업기업 대표자 ·문화산업진흥기본법」제2조제1호자목	35.7	'24.3~4월	문화체육관광부 (전통문화과)	한국공예디자인문화진흥원 (전통문화산업팀)	청년지원 창업사업
· 관광 액셀러레이팅 프로그램	관광산업에 특화된 액셀러레이터와 연계한 사업화, 판로개척, 투자유치 지원 등	①사업화 자금 ②멘토링·컨설팅 교육 민간 투자연계 등	관광분야 초기기업(~3년)	30	'24.3월	문화체육관광부 (관광산업정책과)	한국관광공사 (관광기업성장팀)	
· 유망 창업기업 투자유치 지원사업	보건산업분야 창업기업에 현장 중심의 전문인력을 통하여 국내·외 투자유치 및 기술이전 활성화 등 성장 지원	투자유치 지원	보건산업 분야 10년 이내 창업기업	7.5	'24.3월	보건복지부 (보건산업정책과)	한국보건산업진흥원 (보건산업육성단)	

창업 단계별 2024년 추천 지원사업 (도약 단계)

사업경력 3년 이상 7년 미만의 도약 단계 기업을 지원하는 지원사업은 다음과 같다.

사업명	사업개요	지원내용	지원대상	예산(억원)	사업공고일	소관부처	전달(주관)기관	비고
창업도약 패키지	업력 3년 초과 7년 이내 창업기업에 대한 사업모델 및 제품·서비스 고도화에 필요한 사업화 지금과 창업프로그램을 지원하여 스케일업 촉진	①사업화 자금 ②창업프로그램 ③대기업 연계	업력 3년 조과 7년 이내 창업기업	592.55	'24.1~2월 (예정)	중소벤처기업부 (기술창업과)	창업진흥원 (창업도약실)	
아기유니콘 200 육성사업	혁신적 사업모델과 성장성을 검증받은 유망 창업기업을 발굴, 글로벌 경쟁력을 갖춘 예비 유니콘 기업(기업가치 1천억 이상)으로 육성	①시장개척자금 ②신사장진출 ③연계 지원	투자실적(20억이상 100억미만)이 있는 업력 7년 이내 기업	220	'24.3월	중소벤처기업부 (벤처정책관)	기술보증기금 (벤처혁신금융부) 창업진흥원 (민관협력창업실)	
창업중심 대학	창업지원 역량이 우수한 대학을 창업중심대학으로 지정하여 대학발 창업을 활성화하고 지역창업 허브 역할 수행하는 사업으로 대학발 창업기업 및 지역특화 창업기업 지원	사업화자금, 민간연계, 투자유치 글로벌 진출 등 역량 강화 프로그램 지원	예비창업자 및 창업기업	674.75	'24.1월	중소벤처기업부 (청년정책과)	창업진흥원 (청년창업실)	청년지원 창업사업
예술기업 성장 지원	예술분야 성장단계별 맞춤 사업 자금, 사업화 및 투자유치 등 자원 연계 지원	①사업화 지금 ②교육 및 컨설팅 ③민간자원 유치 등 외부자원 연계	창업 7년 이내 기업	73	'24.2월	문화체육관광부 (예술정책과)	예술경영 지원센터 (기업육성팀)	청년지원 창업사업

사업명	사업개요	지원내용	지원대상	예산(억원)	사업공고일	소관부처	전달(주관)기관	비고
스포츠산업 창업 지원	스포츠산업 초기 스타트업 육성 및 유망 스포츠기업 성장 축진	①기업지원금 ②교육 및 컨설팅 ③시제품 제작 ④네트워킹	예비창업자, 7년 미만 창업기업	105	'24.2월 예정	문화체육관광부 (스포츠산업과)	국민체육진흥공단 (창업일자리지원팀)	사회적 기업 전달센터 운영
스포츠산업 창업증기 (액셀러레이팅) 지원	전문창업기획자와 액셀러레이터를 통한 유망 스포츠기업의 투자유치 역량강화 및 조기 축축 투자 지원	①기업지원금 ②교육 및 컨설팅 ③투자유치 ④네트워킹	7년 미만 창업기업 (예비창업자 제외)	42	'24.2월 예정	문화체육관광부 (스포츠산업과)	국민체육진흥공단 (기업금융지원팀)	투자유치 역량강화 특화
콘텐츠 창업육직 프로그램	창업 4~7년차 도약단계의 스타트업 대상 사업화 자금 및 스케일업 프로그램 지원(민간 투자기관 연계)	①사업화 자금 ②투자매칭 지원	콘텐츠 스타트업 (창업 4~7년차)	46	'24.1~3월	문화체육관광부 (문화산업정책과)	한국콘텐츠진흥원 (기업육성팀)	
선도기업 연계 동반성장 지원(콘텐츠 오픈이노베이션)	선도기업 유망 스타트업 연계를 통한 콘텐츠 사업모델 발굴 및 동반성장 지원	①사업화 자금 ②건설팅멘토링	창업 7년 이하 콘텐츠 스타트업(법인)	17	'24.2~3월	문화체육관광부 (문화산업정책과)	한국콘텐츠진흥원 (기업육성팀)	

사업명	사업개요	지원내용	지원대상	예산(억원)	사업공고일	소관부처	전달(주관)기관	비고
창업성공 패키지 (글로벌창업사관학교)	우수한 사업화 아이디어를 보유한 D.N.A(Data,Network,AI) 분야 (예비)창업자에게 글로벌 수준의 기술교육 보육을 제공하여 글로벌 혁신기술 스타트업으로 육성	①사업화 자금 ②해외진출 특화프로그램 ③글로벌 액셀러레이팅	청년창업사관학교 우수 졸업기업 등 (창업 7년 이하)	138.6	'24.1월 중순	중소벤처기업부 (청년정책과)	중소벤처기업진흥공단 (창업지원처)	해외진출
글로벌 기업 협업 프로그램	신산업분야 글로벌 선도 기업과 협업하여 창업기업의 스케일업 및 글로벌시장 진입기회 마련	①사업화 자금 ②주관기관 특화 프로그램 ③글로벌 기업 지원 프로그램	혁신기술을 보유한 업력 7년 이내 창업기업 *일부 10년이내	430	'24.2월	중소벤처기업부 (기술창업과)	창업진흥원 (민관협력창업실)	해외진출
스타트업 해외전시회 지원	국내 스타트업 정책을 대표하는 'K-STARTUP 브랜드'를 활용하여 국가통합관을 조성하여 전시회에 참여하는 혁신 스타트업의 브랜드 가치 제고 및 적극 홍보지원	①해외전시회 부스 임차, 전시회 참가비, 사전교육, 비즈니스 매칭 지원 등	7년 이내 창업기업 중 각 전시회별 지원요건을 충족하는 자	16	'24.2월 (예정)	중소벤처기업부 (기술창업과)	창업진흥원 (글로벌창업협력실)	해외진출
글로벌 스타트업 육성	해외 진출을 희망하는 창업기업의 글로벌 진출 가능성을 타진하여 글로벌 기업으로서 경쟁력 향상 유도	①해외 액셀러레이팅 프로그램 ②글로벌 기업과의 실증 파트너 ③해외진출자금	해외진출을 희망하는 7년이내 창업기업	99.2	'24.3월	중소벤처기업부 (기술창업과)	창업진흥원 (글로벌창업협력실)	해외진출

창업 단계별 2024년 추천 지원사업 (재도전 및 기타)

재도전 성공 패키지를 포함하여 인프라 지원 등 다양한 분야의 추천 지원사업을 다음과 같이 추천한다.

사업명	사업개요	지원내용	지원대상	예산(억원)	사업공고일	소관부처	전달(주관)기관	비고
재도전성공 패키지	우수한 아이템을 보유한 (예비)재창업자 발굴, 재창업교육·멘토링, 사업화 지원 등 패키지식 지원을 통한 재창업 성공률 제고	① 사업화 자금 ② 재창업 교육 및 멘토링 등 ③ 재창업자를 위한 패키지 지원 시스템	예비재창업자 또는 입력 3년 이내 재창업자(기업)	166.29	'24.1월	중소벤처기업부 (창업정책과)	창업진흥원 (재도전창업실)	재창업
창업존	Data, Network, AI 등 미래 신산업 분야 스타트업을 발굴하여 입주공간, 맞춤형 보육프로그램 등을 제공함으로써 창업기업의 글로벌 진출 등 스케일업을 집중 지원	보육공간 제공(판교), 보육프로그램 운영, 인프라 시설지원 등	예비창업자, 창업기업(7년 이내)	44.8	연중 수시	중소벤처기업부 (창업생태계과)	창업진흥원 (지역창업팀), 경기창조경제혁신센터 (창업존팀)	
창조경제혁신센터	지역별 창업 거점인 전국 17개 창조경제혁신센터를 통해 스타트업과, VC·AC간 네트워킹, 투자설명회 등을 통한 투자연계, 대중견기업과의 다양한 개방형혁신 활동 등을 지원	멘토링, 창업교육, 투자설명회, 지역 창업자·기업 네트워킹, 마케팅·판로개척, 글로벌진출 등	예비창업자, 창업기업(7년 이내)	363.7	연중 수시	중소벤처기업부 (창업생태계과)	창업진흥원 (지역창업실)	
혁신창업버스	사업장 확보에 어려움이 있는 바이오헬스분야 예비 창업자 및 초기창업기업을 대상으로 사무공간 제공 비즈니스 네트워크 연계를 통하여 스타트업 발굴·육성	사무공간제공, 연계프로그램 등	예비창업자 및 3년 이내 초기창업기업		'24.2월	보건복지부 (보건산업정책과)	한국보건산업진흥원 (보건산업육성단)	

사업명	사업개요	지원내용	지원대상	예산(억원)	사업공고일	소관부처	전달(주관)기관	비고
IP디딤돌 프로그램	예비창업자의 우수 아이디어를 지식재산 기반 사업 아이템으로 고도화하고 창업까지 연계할 수 있도록 맞춤형 IP컨설팅 지원	창업 아이디어 단계부터 특허 컨설팅을 통해 IP권리화 및 사업아이템 도출	예비창업자	21	(연중수시 접수)	특허청 (지역산업재산과)	한국발명진흥회 (지역지식재산실)	재창업
농식품 크라우드펀딩 활성화	크라우드펀딩 전후 투자 지원을 통한 농식품 기업의 자금 조달 부담 최소화	컨설팅 및 수수료 비용 지원, 현장코칭 등	농식품 분야 예비창업자 및 창업기업	6	'24.2월	농림축산식품부 (스마트농업정책과)	농업정책보험금융원 (투자지원부)	
해양수산 인큐베이팅 지원 사업	해양수산 전문 창업기획자(액셀러레이터)를 통해 해양수산 분야 유망 창업기업을 발굴하고 기업 성장단계별 맞춤형 보육 프로그램 운영 및 사업화 자금 지원	예비창업자·기업에게 지원 및 창업기획자 자체 자금을 선발기업에 의무적으로 투자 지원, 멘토링 등	해양수산 예비 창업자 및 초기 창업기업	31.60	'24.2월	해양수산부 (해양수산과학기술융합과)	해양수산과학기술진흥원 (창업투자팀)	-
농식품 벤처창업센터	농산식품 전문 기술을 보유한 (예비)창업자를 대상으로 맞춤형 창업지원을 통한 창업성공률 제고 및 일자리 창출	심당 및 창업지원 연계	농식품 분야 예비창업자 및 창업기업	37.4	상시접수	농림축산식품부 (스마트농업정책과)	전국 농식품벤처창업센터	

Part 2 한 번에 합격하는 사업계획서 작성 전략

사업계획서의 개요

　사업계획서는 사전적인 정의로, 사업에 대해 계획한 내용을 담은 문서이다. 경영학에서의 사업은 어떤 일을 일정한 목적과 계획을 세우고 짜임새 있게 지속적으로 경영함 또는 그 일로 정의된다. 사전적인 정의와 경영학에서의 의미를 통해 창업 지원사업에서의 사업계획서를 생각해보면 창업 사업계획서는, '창업 지원사업의 목적과 계획을 달성하기 위해 짜임새 있게 구성된 문서'라고 할 수 있다.

　사업계획서는 어떤 이론에서 정의한 개념이 아니다. 창업 지원사업에서 사업계획서를 정의하고 이론으로 정립한 것이 아니어서 사업계획서를 이론에 따라 개념을 적용하다 보면 본질과 다른 문서로 작성될 수 있다. 이를테면 비즈니스 모델에 대해서 작성하라는 사업계획서의 요구사항을 이론적으로만 이해하고 작성하면 9 Block을 작성하게 되는데 실제로 사업계획서에서 요구하는 비즈니스 모델은 9 Block이 아닌 것과 같다.

사업계획서에서 요구하는 것은 창업 아이템을 이론적으로 풀어내라는 보고서 방식의 정리가 아니다. 사업계획서에서 요구하는 것은 분야별 작성 사항을 이론을 고려하여 작성하되 지원사업에 사용되는 문서임을 고려하여 목적에 맞게 기술하라는 것이다. 그래서 사업계획서를 작성하려면 사업계획서에서 요구하는 각 사항의 이론적 배경을 먼저 이해해야 하고, 그 후에 지원사업에 목적에 맞게 자신의 아이템을 정리해야 한다.

가능하다면 단연 사업계획서 작성을 위해 창업 교육을 수강하는 것을 권고한다. 지자체마다 차이는 있지만, 청년 센터나 고용센터, 여성새로일하기센터나 창조경제혁신센터 등의 창업지원 기관에서는 창업 교육 프로그램을 운영한다. 시기의 차이가 있지만 다양한 창업 교육 프로그램이 운영되기 때문에 관심 있게 지켜본다면 창업 단계와 나의 상황에 맞는 교육을 수강할 수 있을 것이다.

만약 이런 교육을 수강할 수 없는 상황에서 지원사업을 도전하고자 한다면 (예비) 창업자는 다음의 세 가지는 반드시 깊이 고민하고 사업계획서에 적용해야 한다.

창업 아이템의 사업화 계획

첫째로 (예비) 창업자는 창업 아이템의 사업화 계획을 수립해야 한다. 사업화를 한다는 것은 제품이나 서비스를 개발한 이후에 이를 판매하는 과정, 기업의 성장을 위해 계획을 수립하고 추진하는 것을 의미한다. 기업은 사업화 계획으로 단계적인 전략을 수립하고 추진하는 것이 일반이다. 하지만 지원사업에서 말하는 사업화 계획은 의미가 다르다.

기업의 사업화 계획은 사업을 추진하기 위한 전체 계획을 의미하지만, 지원사업의 사업화 계획은 사업화 전체 계획이 아니라 지원사업의 목적과 범위를 만족하는 수행 계획이다. A부터 Z까지 무조건 다 실행하겠다는 것이 아니라 지원사업의 지원 범위에 따라 수행 가능한 범위를 제시하는 것이다.

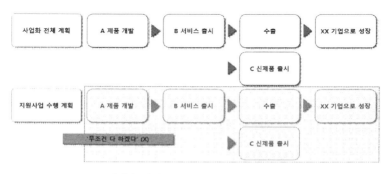

사업화 계획 예시 (Sourced 자체 제작)

(예비) 창업자는 사업계획서의 요구에 따라 사업화 계획을 제시한다. 대다수의 (예비) 창업자는 사업화 계획을 일반적인 사업 계획으로 생각하여 전체적인 계획, 거시적인 로드맵(Roadmap)을 제시하는 실수를 범한다. 지원사업에서 요구하는 사업화 계획은 전체적인 로드맵, 기업이 나아가야 할 백년대계가 아니다. 처음부터 끝까지 모든 것을 개발하고 모든 것을 해낼 수 있다는 큰 전략을 보여 달라는 것도 아니다.

지원사업에서 요구하는 사업화 계획은 2~3년에 해당하는 단기/중기 사업화 계획의 기술과 그 중 지원사업의 목적과 범위를 만족하는 사업화 단계의 세부적인 수행 내용이다.

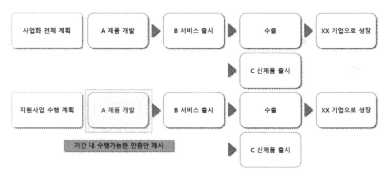

지원사업 사업화계획 예시 (Sourced 자체 제작)

지원사업은 모든 것을 지원하지 않는다. 지원사업은 범위가 정해져 있고 기업은 지원받는 범위만큼만 수행 계획을 제시해야 한다. 하지만 단순히 수행 계획만 제시할 것이 아니라 지원사업을 통해 수행하고자 하는 부분이 어디까지인지, 이를 통해서 이루고자 하는 사업화 목표는 무엇인지 자세히 기술해야 한다.

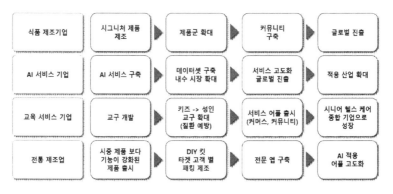

<table>
<tr><td>식품 제조기업</td><td>시그니처 제품 제조</td><td>제품군 확대</td><td>커뮤니티 구축</td><td>글로벌 진출</td></tr>
<tr><td>AI 서비스 기업</td><td>AI 서비스 구축</td><td>데이터셋 구축 내수 시장 확대</td><td>서비스 고도화 글로벌 진출</td><td>적용 산업 확대</td></tr>
<tr><td>교육 서비스 기업</td><td>교구 개발</td><td>키즈 -> 성인 교구 확대 (질환 예방)</td><td>서비스 어플 출시 (커머스, 커뮤니티)</td><td>시니어 헬스 케어 종합 기업으로 성장</td></tr>
<tr><td>전통 제조업</td><td>시중 제품 보다 기능이 강화된 제품 출시</td><td>DIY 킷 타겟 고객 별 패킹 제조</td><td>전문 앱 구축</td><td>AI 적용 어플 고도화</td></tr>
</table>

사업화 단계 사례 (Sourced 자체 제작)

  사업화 계획을 단계적으로 수립하면 (예비) 창업자는 단계별로 수행해야 하는 과제들을 보다 명확하게 알게 된다. 제품과 서비스를 판매하기 위해 어떻게 판로를 개척해야 하는지 알 수 있고, 판로개척을 위해 기업의 성장을 위해 어떻게 비즈니스를 해야 할지 계획을 세울 수 있게 된다. 지원사업에서 필요로 하는 것은 바로 이것이다. 계획 없이, 이유 없이 기업을 경영하지 말고 실현 가능한 사업화 계획을 수립하고 지원사업을 통해 주도면밀하게 사업화를 수행해달라는 것이다. 계획 없는 창업보다 계획을 수립하고 치밀하게 도전하는 창업이 성공할 확률이 높을 것이다. 지원사업은 (예비) 창업자의 이런 계획과 계획의 적절성을 확인한다.

비즈니스 모델과 사업화 계획의 유기적인 연결

설계도를 보면 구역별 위치를 쉽게 이해할 수 있다. 동선도 파악할 수 있고 구조를 이해하여 공간을 어떻게 활용할 것인지 계획도 수립할 수 있다. 비즈니스 모델은 기업의 설계도이다. 기업의 비즈니스 모델을 알면 기업이 어떻게 비즈니스를 하는지 전체적인 구조를 쉽게 파악할 수 있다.

이론적으로 비즈니스 모델은 9 Block을 작성해야 하지만 지원사업에서 요구하는 비즈니스 모델은 9 Block이 아니라 도식화된 비즈니스 모델이다. 도식화를 하는 이유는 평가 위원의 평가 수고를 덜어주고자 함도 있지만, 도식화를 통해서 창업 아이템을 쉽게 이해시키고 차별성을 강조하는 것에 있다.

창업 강의를 해보면 (예비) 창업자들은 비즈니스 모델을 굉장히 어려워한다. 듣다 보면 이해가 되는데 막상 이를 사업에 적용하고 도식화하는 단계에서 어려움을 느끼는 것이다. 이론적으로 공부하라면 책 한 권을 통째로 학습해야 하지만 지원사업을 앞두고 수험생처럼 꼬박 공부할 수도 없는 노릇이다. 시간을 절약하는 방법으로 비법을 제시하라면 2가지를 말할 수 있다. 하지만 이 2가지 비법은 비즈니스 모델뿐만 아니라 사업계획서 전체에 적용된다.

(예비) 창업자는 비즈니스 모델을 도식화하되 최종 산출물이 무엇인지 명확히 제시해야 한다. 그리고 사업화 계획과 차별성이 비즈니스 모델과 어떻게 연결이 되는지 유기적으로 설명해야 한다.

비즈니스 모델 도식화, 모식도 사례 (Sourced 자체 제작)

사업계획서에서 비즈니스 모델을 요구한다면, (예비) 창업자는 비즈니스 모델을 도식화해야 한다. 이 과정에서 최종 산출물이 무엇인지 평가 위원이 직관적으로 이해할 수 있도록 해야 한다. 사업계획서를 평가해보면 비즈니스 모델과 최종 산출물이 다르거나 매칭이 되지 않을 때가 있다. 비즈니스 모델은 플랫폼 모델인데 최종 산출물이 제품일 때가 있고, 비즈니스 모델은 정기 구독 모델인데 최종 산출물은 그렇지 않을 때가 있다.

비즈니스 모델은 기업이 사업을 어떻게 추진해나가는지 쉽게 이해할 수 있는 구조를 그린 것이다. 예를 들어 창업 아이템이 애플리케이션이라면 비즈니스 모델은 플랫폼 비즈니스 모델로 도식화된다. 평가 위원은 도식화된 비즈니스 모델을 통해 창업 아이템이 플랫폼 비즈니스인지 알 수 있고, 플랫폼 비즈니스에서 중요한 B2C, B2B 전략의 차별성이 무엇인지 평가한다.

플랫폼이기 때문에 최종 산출물이 어떻게 구현되는지 모식도를 제시하고 플랫폼의 기능적 차별점, 서비스의 차별점을 제시한다면 평가 위원은 창업 아이템을 더욱 쉽게 이해하고 평가할 수 있게 된다. 지원사업에 따라 창업 아이템이 다르므로 어떤 아이디어는 복잡하고 어떤 아이디어는 단순하다. 단순한 아이디어는 이해가 쉽지만 복잡한 아이디어는 때로 면밀한 검토를 어렵게 한다. 이때 평가 위원의 이해를 도울 수 있는 것이 바로 산출물의 모식도이다.

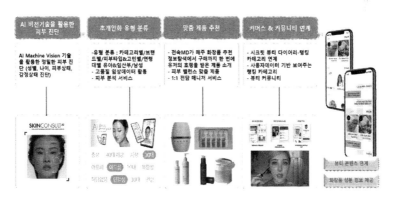

사업의 혁신성과 비즈니스 모델 (Sourced 자체 제작)

비즈니스 모델을 그림으로 표현하여 비즈니스가 이루어지는 과정을 쉽게 이해할 수 있도록 했고, 창업 아이디어가 어떤 결과물로 만들어지는지 모식도를 제시했다면 (예비) 창업자는 비즈니스 모델과 사업의 차별점에 대해서 유기적으로 연결하여 기술해야 한다.

만약 창업 아이디어의 차별점이 애플리케이션의 특수 기능이라면, (예비) 창업자는 사업계획서상, 이 특수 기능만을 구분하여 강조해서는 안 된다. 비즈니스 모델과 최종 산출물의 모식도를 활용하여 사업화 계획, 아이템의 차별점을 함께 작성해야 한다.

창업 아이디어는 사업화 과정을 통해 제품으로 탄생한다. 최종 산출물은 제품으로 이 제품은 비즈니스 모델에 따라 고객에게 제공된다. 일반 고객을 대상으로 제공된다면 B2C, 기업을 대상으로 비즈니스가 이루어진다면 B2B 전략으로 사업은 진행된다. 창업 아이템의 차별성에 따라 비즈니스 모델이 달라질 수 있으므로 사업계획서를 작성하려면 항상 이 유기적인 연결을 고려해야 한다.

위에서 기술한 내용이 다르고 아래에서 기술한 내용이 다르고 비즈니스 모델과 차별점이 연결되어 있지 않다면 논리적으로 앞뒤 말이 맞지 않는다고 평가 위원들은 느낀다. 오랜 시간 준비해 온 창업 아이템인데 앞뒤 말이 맞지 않는다면 준비성도 의심받을 수 있다.

효율성, 수익성, 가치의 표현

창업 아이템을 직관적으로 작성하라는 말들을 많이 들어보았을 것이다. 이해가 쉽게 작성하라는 뜻이지만 더욱 정확한 의미는 창업 아이템의 어떤 장점이 돋보이는지 알 수 있게 작성하라는 것이다.

창업 지원사업에는 일반적인 창업 아이템을 지원하는 사업도 있지만, 대부분은 혁신적이며 선도적인 아이디어를 지원한다. 혁신적이며 선도적인 아이디어는 기존에 사업화된 아이디어보다 무언가 하나는 다른 아이디어를 말한다. 이 아이디어는 효율적이거나 보다 높은 수익을 제공하거나 혹 고객에게 색다른 가치를 줄 수 있는 아이디어인데, (예비) 창업자는 이 세 가지 중 하나가 직관적으로 보일 수 있도록 사업계획서를 작성해야 한다.

효율화, 수익성, 가치 (Sourced 자체 제작)

창업 아이템이 기존 아이템과 비교하면 '효율성이 있다'라는 의미는 예를 들어 생산성이 높다거나 수입하던 장비를 국산화하여 유지보수의 효율을 높였다는 것으로 생각해볼 수 있다. 복잡한 업무를 창업 아이템을 통해 간소화할 수 있다면 업무를 효율적으로 수행할 수 있게 된다. 이는 사용자에게 특별한 효용 가치를 제공한 것이기 때문에 창업 아이템에서 효율성이 직관적으로 보인다면 기존 아이템 대비 차별성이 명확해질 수 있다.

창업 아이템이 '수익성이 있다'라는 것은 원가를 절감하는 데 도움이 되거나 비용을 절감하는 데 도움이 된다는 의미이다. 창업 아이템을 사용했더니 평소보다 지출이 절감되었다면 소비자는 반대로 이익을 더 얻게 된다. 창업 아이템을 사용했더니 인건비를 줄이게 되었다면 사용자는 비용을 줄이고 이익을 얻은 것이라 할 수 있다. 창업 아이템을 통해 이러한 비용 절감의 가능성이 보이고 그것이 소비자 편익에 큰 효과가 있다면 평가 위원들은 차별성이 있다고 판단할 것이다.

고객에게 '신선한 가치를 제공'하는 것도 아이템의 대표적인 차별성이다. 신기술, 프로세스의 다변화 등 이전에 제공된 서비스보다 고객에게 새로운 가치를 제공하는 아이디어들은 높은 편의성을 주기도 하고 이전에 없던 만족감을 제공하기도 한다. 새롭고 차별화된 가치는 트렌디한 창업 아이디어일수록 돋보이는데 (예비) 창업자는 이러한 가치가 돋보이도록 사업계획서를 작성할 필요가 있다.

사업계획서의 개요 (PSST 모델)

모든 창업 지원사업에 사업계획서가 필요한 것은 아니지만 대부분 지원사업은 사업계획서를 요구한다. 100만 원을 지원받아도 사업 추진계획을 작성하도록 요구하며, 액수가 커지면 커질수록 보다 세부적이고 구체적인 계획의 수립을 요구한다. 인기가 많은 대표적인 지원사업인 창업 패키지는 15페이지 분량의 사업계획서를 요구하는데 그동안 사업계획서의 난이도가 낮아지고 문서의 간소화가 이루어졌다고 하지만 여전히 (예비) 창업자들은 사업계획서 작성을 매우 어려워한다. 인터뷰하거나 발표 평가를 통해 지원 기업을 선정하면 되지 않느냐 하지만 엄연히 세금으로 지원되는 일들을 그저 간단한 절차로 허투루 처리할 수도 없다. 지원자로서는 귀찮고 어려운 서류일 수 있지만, 기관의 입장에서는 세금으로 지원하는 사업이기 때문에 사업계획서가 지원 여부를 결정하는 최소한의 기준일 수 있다.

창업 지원 기관은 지원 기업이 창업을 잘 준비하고 있는지, 지원받기에 적합한지, 창업 아이템은 혁신적이며 차별성이 있는지, 사업을 추진하기에 (예비) 창업자가 충분한 역량을 가졌는지 등을 구체적으로 확인하기 위해 사업계획서를 요구한다. 단순히 사업계획서를 작성하라고 백지를 주면 작성 수준이 천차만별 달라질 수 있기 때문에 중구난방으로 작성되는 것을 방지하고 평가의 용이성을 높이며, 기관이 확인하고자 하는 사항을 정확하게 파악하기 위해서 기관은 'PSST 모델'이 반영된 사업계획서를 사용한다.

PSST는 Problem, Solution, Scale Up(Service), Team의 첫 글자를 딴 약자로 문제 인식, 실현 가능성, 성장전략, 팀 구성을 순서에 따라 기술할 수 있도록 만든 모델이다. 창업 지원사업의 사업계획서에서 PSST 모델을 사용하는 이유는 창업 아이템의 혁신성 때문이다.

기업이 참여하는 지원사업, 소위 사업 자금을 지원받을 수 있는 지원사업은 대부분 사업화 지원사업에 해당한다. 창업 패키지도 사업화 지원사업에 해당하는데 사업화 지원사업은 예산이 한정적이고 지원 기업의 수가 많지 않다. 한정된 예산을 배분하여 기업의 사업화를 지원해야 하므로 지원 기관은 일반적인 아이템이 아니라 보다 혁신적인 아이템, 기존 시장의 문제나 기존 산업의 애로사항을 해결하는 아이템을 지원한다.

PSST 모델은 다른 지원사업에도 사용되지만, 창업 지원사업에서 주로 사용되고 있으며, 넓은 범위에서 R&D 지원사업의 연구개발계획서와 유사하다고 생각하는 (예비) 창업자도 있지만, 연구개발계획서와는 다르다. 창업 지원사업은 문제를 제기하고 이를 해결하는 방법과 계획, 역량을 제시하는 것에 초점이 있다면 연구개발계획서는 기술개발의 목표와 타당성, 기술개발 이후의 사업화 가능성, 효과를 제시하는 것에 초점이 맞추어져 있다.

두 지원사업은 사업계획서 작성 분량에서도 차이가 있고 작성 난이도에서도 큰 차이를 보인다. 난이도만 놓고 비교하면 단연 R&D 사업계획서의 작성 난이도가 높지만 최근 들어 창업 지원사업의 경쟁률이 점점 높아지고 있어서 창업 지원사업 사업계획서의 작성 난이도도 만만치 않다.

지원사업과 R&D 사업계획서의 모델 비교 (Sourced 자체 제작)

다만, R&D 사업계획서는 큰 항목만 제시하고 작성의 자유도를 높인 반면 창업 지원사업은 작성 항목별로 가이드를 자세하게 제시하고 있다는 점에서 차이가 있다. 따라서 (예비) 창업자는 사업계획서를 작성할 때 가이드를 참고하여 작성하면 되며, 이 내용이 PSST 모델이라는 점을 주의하면서 작성하면 된다.

PSST 모델에 따라 사업계획서에서 요구하는 내용을 간략히 정리해보면 다음과 같다.

· Problem (문제 인식)
  - 창업 아이템의 개발/개선 동기 및 목적
  - 창업 아이템의 목표 시장(고객) 분석
  - 고객의 요구사항 분석

· Solution (실현 가능성)
  - 창업 아이템의 현황, 개발 정도 및 개선 방안
  - 고객의 요구사항에 대한 대응 방안
  - 창업 아이템의 실현 및 구체화 방안

· Scale Up (성장전략)
  - 창업 아이템의 비즈니스 모델
  - 창업 아이템의 사업화 추진 전략 및 일정
  - 자금 소요 및 조달 계획

· Team (팀 구성)

　- 대표자 (팀) 구성 및 보유 역량

　- 중장기 사회적 가치 도입계획

　문제 인식(Problem) 분야는 '문제'라는 단어만 보고 정말 문제를 찾아서 제시하라고 받아들일 수 있다. 문제 제기는 기존 시장의 문제점을 제시하라는 의미도 있지만 트렌드 변화에 따른 산업의 개선 방안, 대응방안을 의미하기도 한다. 실현 가능성(Solution)은 다른 말로 서비스(Service)로 불린다. 앞서 제기한 문제를 어떻게 해결할 것인지 제품과 서비스 측면에서 기술하라는 의미인데 창업 아이템에 해당하는 제품 또는 서비스가 무엇인지 작성하고 차별점이 무엇인지 자세하게 작성해야 한다.

　성장 전략(Scale Up) 분야는 사업화 방안을 의미한다. 사업추진 일정을 수립하고 일정에 따라 단계적으로 어떤 목표를 달성할 것인지, 구체적으로 소요되는 자금은 어떠한지 제시하는 분야다. 실현 가능성(Solution)과 함께 평가 위원이 가장 집중해서 보는 분야기 때문에 신경 써서 작성해야 한다. 팀 구성(Team) 분야는 대표자와 팀의 역량을 기술하는 부분인데, 최근에는 대표자 만큼이나 전체적인 팀 구성이 중요하기 때문에 대표자의 이력, 경력만 강조할 것이 아니라 팀과 외부 협력 기업의 역량까지 작성해야 한다.

사업계획서 작성의 기초, 첫 페이지

근래에 가장 인기 있는 지원사업은 예비창업패키지일 것이다. 예비 창업자의 창업을 지원하는 사업으로 지원금액의 한도가 무려 1억 원에 달한다. 실제로 지급되는 사업비는 1억 원의 절반 수준인 5천만 원이지만 갚지 않아도 되는 자금을 지원받는 것이기 때문에 예비 창업자의 입장에서는 굉장히 매력적인 지원사업이다.

예비창업패키지를 포함하여 창업 패키지로 불리는 초기창업패키지, 창업도약패키지는 작성 내용은 다르지만 같은 사업계획서 서식을 사용한다. 창업 패키지뿐만 아니라 창업진흥원의 사업화 지원사업도 같은 서식을 사용한다. 타 기관의 창업 지원사업은 사업마다 각각 다른 서식을 사용하지만, 사업계획서에서 요구하는 사항은 대동소이하다. 따라서 PSST 모델을 사용하는 창업 패키지 사업계획서를 작성하면 창업진흥원의 사업화 지원사업과 타 기관의 창업 지원사업의 사업계획서 작성이 조금 더 쉬워질 수 있다.

본 저서에서는 예비창업패키지 사업계획서를 기준으로 사업계획서 작성 방법을 제시한다. 예비창업패키지의 요구사항은 지원사업에서 요구하는 기본적인 사항들을 모두 담고 있어서 사업계획서를 잘 작성해놓으면 여러 지원사업을 신청할 때 사업계획서를 반복하여 작성해야 하는 수고를 덜 수 있다.

사업계획서의 첫 얼굴은 신청서이다. 온라인으로 신청하기 때문에 온라인에 입력하는 내용도 있지만, 사업계획서 서식의 첫 번째 페이지는 기초적인 내용을 담고 있는 신청서에 해당한다. 첫 페이지 신청서에는 사업계획서 작성에 대한 가이드와 신청현황, 일반현황을 작성하도록 안내하고 있다.

창업사업화 지원사업 사업계획서 [예비단계]

※ 사업계획서는 목차(1페이지)를 제외하고 15페이지 이내로 작성(증빙서류는 제한 없음)
※ 사업계획서 양식은 변경·삭제할 수 없으며, 추가설명을 위한 이미지(사진), 표 등은 삽입 가능
　(표 안의 행은 추가 가능하며, 해당 없을 시 공란을 유지)
※ 본문 내 '파란색 글씨로 작성된 안내 문구'는 삭제하고 검정 글씨로 작성하여 제출
※ 대표자·직원 성명, 성별, 생년월일, 대학교(원)명 및 소재지, 직장명 등의 개인정보(또는 유추 가능한 정보)는 반드시 제외하거나 'O', '*' 등으로 마스킹하여 작성
　[학력] (전문)학·석·박사, 학과·전공 등, [직장] 직업, 주요 수행업무 등만 작성 가능

사업계획서 안내 문구 (Sourced 예비창업패키지 서식)

(예비) 창업자들이 가장 많이 하는 실수는 가이드를 읽지 않는 것이다. 첫 페이지이기 때문에 중요한 내용을 담고 있으리란 사실을 알면서도 첫 페이지를 이유 없이 넘기곤 한다. 파란색 글씨로 제시된 작성 가이드는 중요한 내용을 담고 있으며 가이드는 매년 변경될 수 있으므로 꼭 읽고 사업계획서에 반영해야 한다. 첫 페이지에서 제시하고 있는 작성 지침과 주의사항은 다음과 같다.

∴ 사업계획서는 목차(1페이지)를 제외하고 15페이지 이내로 작성(증빙서류 제한 없음)

사업계획서는 서식도 지정하고 있지만 작성 분량도 지정하고 있다. 작성 가이드에서는 목차를 제외하고 15페이지 '이내'로 분량을 지정하고 있다. (예비) 창업자들이 실수하는 부분이 바로 이 부분이다.

창업사업화 지원사업 사업계획서 작성 목차 [예비단계]

항목	세부항목
□ 신청현황	- 사업 관련 상세 신청현황
□ 일반현황	- 대표자 및 팀원 등 일반현황
□ 개요(요약)	- 창업아이템 명칭·범주 및 소개, 문제인식, 실현가능성, 성장전략, 팀 구성 요약

사업계획서 개요 (Sourced 예비창업패키지 서식)

사업계획서는 목차를 제외하고 15페이지 이내이기 때문에 신청현황, 일반현황과 개요(요약)를 포함하여 15페이지 이내로 작성되어야 한다. 다수의 (예비) 창업자들은 개요(요약)는 작성 분량에 해당하지 않는 것으로 알고 개요(요약)를 2페이지 또는 3페이지로 길게 작성한다. 하지만 15페이지 '이내'라고 명시하고 있으므로 작성 분량을 준수해야 한다. 작성 분량이 15페이지를 넘는 경우 평가 시에 불리할 수 있다.

만약 본문에 반드시 기술해야 하지만 분량의 제한으로 작성하기 어려운 부분이 있다면 증빙서류의 기타 자료로 첨부하는 것을 권고한다.

∴ 사업계획서 양식은 변경·삭제할 수 없으며, 추가 설명을 위한 이미지(사진), 표 등은 삽입 가능 (표 안의 행은 추가 가능하며, 해당 없을 시 공란을 유지)

지정된 사업계획서 양식은 임의로 변경하거나 삭제해서는 안 된다. 양식을 마음대로 변경하는 (예비) 창업자들이 있는데 평가의 형평성으로 인해 다른 서식을 사용하는 경우 평가에서 불리할 수 있다.

추가 설명을 위해 이미지(사진)나 표 등은 추가로 삽입할 수 있다. 사업계획서에서 도식화를 권고하는 이유가 바로 여기에 있다. 창업 아이템은 아이디어 단계에 있거나 혹 개발 중인 경우가 많다. 글로만 설명하기 힘든 아이템들이 많아서 잘 평가 받기 위해, 잘 설명하기 위해 이미지(사진)와 표를 적극적으로 활용해야 한다.

< 사업추진 일정(전체 사업단계) >

순번	추진 내용	추진 기간	세부 내용
1	시제품 설계	00년 상반기	시제품 설계 및 프로토타입 제작
2	시제품 제작	00.00 ~ 00.00	외주 용역을 통한 시제품 제작
3	정식 출시	00년 하반기	신제품 출시
4	신제품 홍보 프로모션 진행	00.00 ~ 00.00	OO, OO 프로모션 진행
...			

사업추진일정표 (Sourced 예비창업패키지 서식)

사업계획서에서 제시하는 표는 작성할 내용이 많은 경우 행을 추가하여 작성할 수 있으며, 작성할 수 없는 경우 공란으로 두면 된다.

∴ 본문 내 '파란색 글씨로 작성된 안내 문구'는 삭제하고 검정 글씨로 작성하여 제출

사업계획서 서식에는 파란색 글씨로 작성에 참고할 수 있는 여러 안내 문구가 작성되어 있다. 사업계획서 작성 시에 파란색 글씨로 작성된 안내 문구를 삭제하고, 사업계획서는 모두 검은색 글씨로 작성하여 제출할 것을 권고하고 있다.

□ 신청현황

※ 정부지원사업비는 최대 1억원 한도 이내로 작성 ※ 정부지원사업비는 평가결과에 따라 신청금액 대비 감액될 수 있으며 신청금액을 초과하여 지급될 수 없음			
신청 주관기관명	주관기관명	과제번호 (사업신청내역조회)	00000000

신청현황 (Sourced 예비창업패키지 서식)

처음부터 안내 문구를 모두 삭제하고 작성하는 것을 권고하지만 우선 사업계획서를 모두 작성하고, 안내 문구를 삭제한 후 분량을 조정하고 첨삭, 보완하는 것이 좋다. 표 내에 예시로 작성된 문구는 예시이기 때문에 참고하여 작성해야 한다. 항목 사이에 파란색 글씨로 안내하고 있는 문구는 사업계획서 작성에 도움이 되는 내용이

많아 꼭 읽어보고 작성할 것을 권고한다. 반드시 모든 안내 사항을 반영해야 하는 것은 아니지만 안내 사항을 반영하여 작성하면 사업계획서 작성이 조금 더 수월해질 수 있다.

∴ 대표자·직원 성명, 성별, 생년월일, 대학교(원)명 및 소재지, 직장명 등의 개인정보(또는 유추 가능한 정보)는 반드시 제외하거나 'O', '*' 등으로 마스킹하여 작성. [학력] (전문) 학·석·박사, 학과·전공 등, [직장] 직업, 주요 수행업무 등만 작성 가능

지원사업을 평가할 때 지원자의 인적사항을 알게 되면 평가에 편향성이 발생할 수 있다. 예를 들어 대기업 출신의 (예비) 창업자가 있다면 중소기업 출신의 (예비) 창업자 보다 잘 수행할 수 있다고 평가 위원들이 편견을 가질 수 있다. 학력이나 소재지도 마찬가지이다. 평가 위원들이 공정하게 평가하겠지만 만에 하나 이런 정보가 노출될 경우 평가의 공정성은 저해된다. 사업계획서는 이런 편향이 발생하지 않도록 개인정보를 유추할 수 없도록 마스킹을 요구한다. 마스킹의 예시는 아래와 같다.

'OO대학교 경영학 석사, OO대학원 인공지능전공'
'OO전자 모바일 사업부 (UIUX 개발)'
'미국 OO 칼리지 art design 전공'
'2000년~2010년 OO엔지니어링 설계사업부'

사업계획서 첫 페이지의 신청현황은 지원사업 신청과 관련된 기본 정보를 입력하는 부분으로 주관 기관, 신청 분야, 사업비 등을 기재한다. 주관 기관은 지원사업 공고란을 확인하여 선정 후 기재하면 된다.

□ 신청현황

※ 정부지원사업비는 최대 1억원 한도 이내로 작성
※ 정부지원사업비는 평가결과에 따라 신청금액 대비 감액될 수 있으며 신청금액을 초과하여 지급될 수 없음

신청 주관기관명		*주관기관명*	**과제번호** (사업신청내역조회)	*00000000*
신청 분야 (택 1)		□ 일반	□ 특화	
사업 분야 (택 1)		□ 제조	□ 지식서비스	
기술 분야 (택 1)		□ 공예·디자인	□ 기계·소재	□ 바이오·의료·생명
		□ 에너지·자원	□ 전기·전자	□ 정보·통신
		□ 화공·섬유		
사업비 구성계획	정부지원 사업비	*00백만원*		

신청현황 (Sourced 예비창업패키지 서식)

주관 기관을 선정할 때 주관 기관이 선호하는 기술, 사업 분야를 참고하여 선정하는 것이 좋다. 주관 기관 선정은 지역과 관계없이 가능하다. 하지만 2024년 올해 지역과 관계없이 주관 기관을 선정할 수 있다는 내용이 형평에 어긋난다는 지적이 있었기 때문에 2025년 창업 패키지는 창업자가 소재한 지역으로 한정하여 주관 기관을 선정할 수 있도록 지침이 변경될 것으로 예상된다.

신청 분야는 일반과 특화로 나뉜다. (예비) 창업자들은 일반과 특화 분야 중 어느 분야를 지원해야 더 잘 선정이 될지 궁금해한다. 두 분야의 경쟁률은 물론 차이가 있다. 하지만 어느 분야가 더 잘 선정이 된다는 것을 단정할 수는 없다. 자신의 분야에 맞는 분야를 선정하는 것이 중요하며, 특화 분야라고 해서 반드시 유리한 것은 아니다.

사업 분야 선택은 최종 산출물이 무엇인지에 따라 선택하면 된다. 간혹 기술 분야 선정을 어려워하는 (예비) 창업자들도 있는데 사업 분야와 마찬가지로 최종 산출물이 무엇인지에 따라 선택하면 된다. 사업 분야와 기술 분야가 어떠하냐에 따라서 유리하거나 불리하지 않다.

사업비 구성계획은 정부 지원 사업비를 기재하는 부분으로 예비 창업패키지의 사업비는 최대 1억 원이 한도이므로 '100백만원'으로 기재하면 된다. 창업 패키지나 다른 지원사업도 같다. 정부 지원 사업비 최대 한도에 따라 금액을 기재하면 되는데 무조건 최대한도에 맞추어 작성할 필요는 없다. 실제로 사업을 추진하는데 필요한 사업비를 산출하여 작성하면 된다.

다만, 정부 지원사업비의 경우 최대한도를 지원하지만, 평가결과에 따라 신청금액 대비 감액될 수 있으므로 감액의 가능성을 염두에 두고 최대한도로 작성할 것을 권고한다. 예비창업패키지의 경우 최대한도는 1억 원이지만 일반적으로 50%가 감액된 5,000만 원을 지원하는 것으로 알려져 있다.

일반현황은 창업 아이템과 산출물, 대표자의 직업과 기업명 및 (예비) 창업팀을 기재하는 부분이다. 한 줄씩 혹은 몇 단어로 간단하게 작성하는 부분이지만 평가 위원이 쉽게 이해할 수 있도록 직관적으로 작성하는 것이 좋다.

☐ 일반현황

창업아이템명	OO기술이 적용된 OO기능의(혜택을 제공하는) OO제품·서비스 등		
산출물 (협약기간 내 목표)	모바일 어플리케이션(0개), 웹사이트(0개)		
	※ 협약기간 내 제작·개발 완료할 최종 생산품의 형태, 수량 등 기재		
직업 (직장명 기재 불가)	교수 / 연구원 / 사무직 / 일반인 / 대학생 등	기업(예정)명	OOOOO
(예비)창업팀 구성 현황 (대표자 본인 제외)			
순번	직위	담당 업무	보유역량 (경력 및 학력 등)	구성 상태
1	공동대표	S/W 개발 총괄	OO학 박사, OO학과 교수 재직(00년)	완료
2	대리	홍보 및 마케팅	OO학 학사, OO 관련 경력(00년 이상)	예정('00.0)
...				

일반현황 (Sourced 예비창업패키지 서식)

창업 아이템명은 직관적이어야 한다. 어떤 기술이 사용되었다거나 어떤 문제를 해결하는 제품인지, 어떤 혜택을 제공하는 서비스인지 쉽게 이해할 수 있도록 작성해야 한다. 요즘은 기술창업이 많아서 기술명을 적용한 창업 아이템명을 많이 권고하고 있지만, 꼭 기술명이 드러나지 않아도 된다. 예를 들면 다음과 같다.

'○○를 제공하여 육아 맘의 수고를 덜어주는 키즈 ○○제품'
'액티브 시니어의 건강 케어를 위한 ○○복합 기능 ○○서비스'

과거에는 창업 아이템명이 중요하다고 말하는 사람들이 많았지만, 요즘은 창업 아이템명보다 사업계획서 본문의 내용을 더 중시하는 평가 위원들이 많다. 따라서 창업 아이템명 작성에 스트레스를 받을 필요는 없다.

산출물은 지원사업에 선정되었을 경우 최종적으로 제작·개발할 생산품의 형태나 수량 등을 기재하는 부분이다. 지식서비스의 경우 애플리케이션이나 웹사이트가 될 수 있고, 제품의 경우 시제품의 수량이 기재될 수 있다. 산출물은 지원사업에 따라 다르다. 예비창업패키지는 시제품 제작을 지원하기 때문에 완제품을 산출물로 제시할 필요는 없다. 초기창업패키지의 경우 완제품을 제시해야 한다. 창업 단계별로, 지원사업에 따라 산출물이 다르므로 (예비) 창업자는 지원사업에 따라 산출물을 제시해야 한다. 일반적으로 애플리케이션이나 웹사이트, 생산품의 수량 또는 생산 제품의 종류 등을 기재하는 경우가 많다. 예를 들면 다음과 같다.

'○○ 애플리케이션 (알파 빌드)'
'○○ 웹사이트 1식 (반응형), 홈페이지형 블로그 1식'
'○○ 제품 프로토타입 5종, ○○ 버전 2종'
'○○ 솔루션 1식, ○○ 매뉴얼 한국어/일본어 버전 각 1식'

직업 기재에 대해서 무직이거나 취업준비생이거나 학생을 기재하면 불리하다고 생각하는 (예비) 창업자가 있다. 오랜 시간 평가해왔지만, 직업을 보고 평가를 달리하면 공정성, 형평성에 문제가 있을 수 있다. 다만 직업 여부는 창업 준비에 참고 사항은 될 수 있다.

예를 들어, 설비 분야에 종사하고 있는 사람이 설비 분야로 창업하는 경우 상대적으로 유리할 수는 있다. 요식업에 종사하는 사람이 새로운 메뉴를 잘 개발할 수 있는 것처럼 직업이 무엇이냐에 따라서 평가 위원들은 창업 아이템과 직업의 상관관계를 고려한다. 참고 사항이기 때문에 평가에 영향을 주지 않는다는 것을 기억해야 한다. 기업(예정)명은 자유 기재이다. 다음에 사업자 등록을 고려하여 기업명을 정해두는 것도 좋다.

(예비) 창업팀 구성 현황은 대표자 본인을 제외하고 작성해야 한다. (예비) 창업자들이 가장 궁금해하는 부분은, '채용한 상태'인지 여부이다. 안내 문구에도 나와 있지만, 구성 현황은 '예정'자를 포함하고 있다. 채용한 구성원이면 구성 상태에서 '완료'로, 채용 예정이면 '예정'으로 기재하면 된다. 채용한 사람만 기재하기보다는 채용 예정자를 포함하여 규모 있게, 팀으로 창업한다는 이미지를 주는 것이 좋다. 가족을 기재해도 될까? 가능하다. 다만 지원사업의 지침에 따라 가족에게는 인건비 지출이 불가능할 수 있다. 가족보다는 가족이 아닌 일반 팀원을 예정 팀원으로 구성하는 것을 권고한다.

평가 절차와 평가표

창업 지원사업의 평가 절차는 요건 검토와 평가, 선정의 절차로 진행된다. 평가는 서류와 발표 평가가 있는데 서류 접수에서부터 최종 발표까지 약 2달의 시간이 소요된다. 지원사업마다 소요되는 시간은 다르다. 창업 패키지처럼 지원자가 많은 사업의 경우 2달 내외의 시간이 소요되며, 지원자가 많지 않은 사업의 경우 통상 1달 내외의 시간이면 지원부터 선정 공지까지 진행된다.

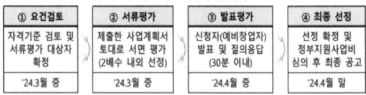

< 예비창업자 선정평가 절차(안) >

① 요건검토	② 서류평가	③ 발표평가	④ 최종 선정
자격기준 검토 및 서류평가 대상자 확정	제출한 사업계획서 토대로 서면 평가 (2배수 내외 선정)	신청자(예비창업자) 발표 및 질의응답 (30분 이내)	선정 확정 및 정부지원사업비 심의 후 최종 공고
'24.3월 중	'24.3월 중	'24.4월 중	'24.4월 말

예비 창업자 선정 평가 절차 (Sourced 예비창업패키지 공고)

서류 평가는 지원사업에 따라 다르지만 2배수 또는 3배수의 기업을 선정한다. 10개 기업을 지원한다면 20개, 30개 기업을 서류 합격시킨 후에 발표 평가를 통해 최종 지원 기업을 선정하겠다는 의미이다. 인기 있는 지원사업은 경쟁률이 매우 높아서 서류 합격도 어렵다. 2배수나 3배수에도 들기 어렵다는 뜻이다. 반면에 경쟁률이 치열하지 않은 사업의 경우 지원 기업의 수가 적다. 이 경우 지원 기업이 미달되면 예산을 소진하기 어려워서 공고는 연장된다.

인기 있는 사업은 경쟁률이 너무 치열하여 몇 배수를 뽑아도 그 안에 들기 어렵고, 인기 없는 사업은 미달하여 연장 공고를 몇 번씩 해야 한다. 지원사업도 사업마다 차이가 있다는 점을 기업은 참고하여 인기 있는 지원사업에만 관심을 두지 말고 다양한 지원사업에 관심을 두고 도전할 필요가 있다.

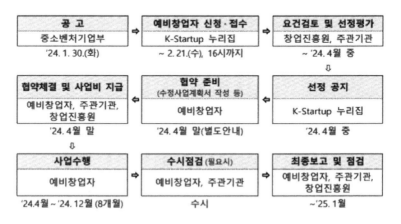

예비창업패키지 운영 일정 (Sourced 예비창업패키지 공고)

예비창업패키지의 사업운영 일정은 공고문 게시에서부터 최종 보고 및 점검까지 1년이 소요된다. 하지만 협약을 체결하고 최종 보고까지 실제 사업을 수행하는 기간은 8개월이다. (예비) 창업자가 예비창업패키지에 지원하는 경우 사업추진계획을 1년으로 잡는 경우가 많은데 사업 수행 기간이 8개월이기 때문에 계획을 8개월로 제시해야 한다. 사업계획서 서식에는 '협약 기간 내 목표 및 달성 방안'을 제시하도록 안내하고 있어서 반드시 기간 내 추진 가능한 만큼만 사업 수행 목표를 제시해야 한다.

지원사업은 합격까지의 절차가 가장 중요하다. 선정된 이후에 협약을 체결하고 실제 사업을 수행하는 데 애로사항을 겪는 (예비) 창업자는 많지 않다. 선정된 이후에는 주관 기관과 소통하면서 사업을 추진해나가고, 전담 멘토를 통해 도움을 받을 수 있으므로 선정 이후를 걱정하는 (예비) 창업자는 없을 것이다.

문제는 합격이다. 서류 평가를 통과한 후에 최종 선정이 되는 것이 (예비) 창업자들의 궁극적인 목적이다. 지피지기(知彼知己)면 백전백승(百戰百勝)이라는 말이 있다. 나를 알고 상대를 알면 전쟁에서 승리할 수 있다는 뜻이다. 표현은 전쟁이지만 모든 시험에서 가장 많이 쓰이는 말이 이 표현이다. 시험은 출제위원의 의도를 파악하는 것이 중요한데, 지원사업은 평가의 구조를 아는 것이 조금이나마 선정에 도움이 될 수 있다.

< 서류·발표 평가지표 주요 내용 >

평가항목	세부 내용
문제인식	• 창업아이템을 개발하게 된 동기(문제인식), 해결방안(필요성) 등
실현가능성	• 문제점을 해결하기 위한 개발(개선)방법, 경쟁력 확보 방안 등
성장전략	• 창업아이템의 사업화를 위한 시장진입 전략, 자금조달 방안 등
팀(기업) 구성	• 대표자 및 고용인력이 보유한(예정인) 기술역량과 노하우 등

예비창업패키지 평가지표 (Sourced 예비창업패키지 공고)

예비창업패키지와 같이 창업 패키지 사업은 PSST 모델을 사용한다. PSST 모델은 각 항목을 평가하는데 예비창업패키지 공고상 제시된 평가지표는 위와 같다. 세부적인 배점표는 제시되어 있지 않지만, 평가 내용을 보면 분야별 작성 내용을 평가하겠다는 의미로 볼 수 있다. 지원사업에 따라 평가 항목과 배점표를 공개하고 있는 사업도 있다. 하지만 창업 지원사업은 대부분 평가 항목은 공개하고 있지만, 구체적인 배점표는 제시하지 않는다.

그렇다면 다른 지원사업의 배점표를 참고해야 하는데, 오랜 시간 평가 위원으로 활동해본 경험에 비추어 보면 지원 내용의 차이가 있다 하더라도 배점 항목이나 기준은 큰 차이가 없었다. 창업 지원 사업이면 평가표가 대동소이하다는 의미이며, 사업이 다르다 해도 평가표는 큰 차이가 나지 않는다는 뜻이다. 따라서 기업은 평가표와 배점 항목에 신경 쓸 필요는 없다. 배점표의 구성을 전체적으로 이해하고 그저 사업계획서의 작성 안내에 따라 사업계획서를 잘 준비하면 된다.

사업 심사 기준표

최종평가 심사표(심사위원용)

평가팀	아이디어명	비중	평가비중	평가기준
		사업추진력	10%	아이디어 사업계획의 적합성 (사업계획이 실행가능한지 여부)
		기업가정신	10%	창업동기 및 기업가 정신 (창업동기가 미션 및 비전과 적합성)
		계획의 적정성	20%	시장의 계획의 구체성 및 실현가능성 완료된 계획의 적정성
		기술성 및 경쟁력	30%	아이템(또는 기술)의 독창성 및 차별성 아이디어의 등의 등 확장가능성 시장규모 및 성장성 아이디어에 대한 경쟁력(유효,가격 등)
		사업성 및 파급효과성	30%	경제파급도 및 파급효과 고용창출 전망
	심사 의견			

지원사업 평가표 (Sourced 자체 제작)

    평가표는 크게 3가지 부분으로 나뉜다. 지원 목적의 부합성, 기술성, 사업성이다. 지원사업에 따라 평가 항목은 달라질 수 있지만, 대부분 지원사업에서 확인하는 내용은 지원 기업이 목적에 적합한지, 기술력이 있는지, 사업성은 뛰어난지 여부이다. 창업 지원사업은 여기에 더해 팀 구성을 본다. R&D 지원사업도 기업의 연구개발 역량을 확인하는데 최근 들어 팀 역량이나 연구개발역량을 더 자세히 살펴본다.

    중장기 사회적 가치 도입계획은 평가 항목에 포함되어 있지 않지만, ESG 실천계획처럼 점진적으로 지원 기업을 평가하는 한 요소로 자리 잡을 것으로 예상된다. 현재는 진단이나 권고 수준이므로 탈락 사유가 될 만큼 깊이 있게 확인하지 않지만, 기후위기가 면전으로 다가온 만큼 앞으로의 지원사업은 중장기 사회적 가치나 ESG 경영이 핵심 평가지표로 자리 잡을 것이다.

평가 위원은 현장에 가서 평가에 관해 설명을 듣는다. 지원사업마다 평가 기준과 비중, 평가 내용이 다르므로 평가 위원이라고 해서 지원사업의 평가 기준을 세세히 알지는 못한다. 또한, 평가의 경우 최고점수와 최저점수를 제외한 나머지 점수를 평균하여 점수를 산출하기 때문에 특정 평가 위원이 높은 점수를 준다고 해서 기업이 선정될 수 없다. 평가제도는 다년간 평가를 반복하면서 공정성과 신뢰성 확보를 위해 꾸준히 개선되어왔기 때문에 특정 평가 위원이 독단적으로 아이템을 추천한다고 해서 해당 아이템이 지원사업에 선정되기는 어렵다.

항목	체크 포인트
평가 시간	10분 ~ 1시간
평가 위원	3~6명
평가 방식	현장에서 평가
피 평가자	관계없음
중요도	사업계획서 및 제출서류
평가 기관	기관별 특성을 고려

평가에 따라 바뀔 수 있음

- 경쟁률이 높은 지원사업은 서류심사 시 평가위원의 피로도가 매우 높음
- 요약(Summary)을 보고 아이템을 평가하는 경우가 많으므로 요약 페이지에 이미지를 활용하여 차별점 축약

- 지원사업의 공고에 따른 정책목적성, 부합성을 고려하여 사업계획서 작성 필요
- 기관에서 요구하는 서식, 분량 등 필수 준수
- Hwp, PDF 등 파일 확장자 확인

서류 평가 체크포인트 (Sourced 자체 제작)

평가는 서류 평가 이후에 발표 평가가 진행된다. 서류 평가의 경우 3~6명의 평가 위원을 위촉하여 분과마다, 분야마다 평가위원회를 구성한다. 하나의 평가 분과마다 간사가 참여하여 평가를 진행

하는데 담당 간사는 평가 절차와 기준 등을 알리고 평가 전체를 관리한다. 평가위원장은 현장에서 위촉하는 경우가 많다. R&D 지원사업의 경우 사전에 평가위원장을 위촉하지만 창업 지원사업은 현장에서 위촉한다.

평가위원장이 선출되면 평가위원장의 지도에 따라 서류 평가가 진행되는데 서류 평가의 경우 짧은 시간 안에 많은 사업계획서를 검토해야 하므로 한 차례 사업계획서를 검토하는 시간을 갖고 이후에 논의를 거쳐 지원 기업을 선정한다. 경쟁률이 높은 경우 다수의 기업을 떨어뜨리고 소수의 기업을 합격시켜야 해서 굉장히 깊이 있는 검토가 진행된다. 반대로 경쟁률이 낮은 지원사업의 경우 다수의 기업을 선정하므로 상대적으로 평가 진행이 수월하다.

예를 들어 10개 기업을 선정하는 지원사업에 11개 기업이 신청했다면 1개의 기업만 탈락시키면 된다. 가장 단점이 많은 기업, 차별성이 미흡하거나 사업성이 낮은 것으로 보이는 기업 1개만 찾으면 되기 때문에 평가가 수월해진다. 10개 기업을 선정하는 지원사업에 100개의 기업이 신청했다면 10개 중 1개의 기업만을 선정해야 하므로 평가 위원들은 사업계획서를 자세히 검토하여 가장 우수한 기업을 선정해야 한다.

창업 패키지는 경쟁률이 매우 높은 지원사업이다. 평가 위원은 짧은 시간에 많은 수의 사업계획서를 검토해야 하므로 집중하여 평가에 임한다. 단시간에 많은 사업계획서를 보아야 하기 때문에 평가 위원은 평가를 효율적으로 하고자 한다. 이때 평가 위원은 사업계획서의 요약 페이지를 가장 먼저 확인한다. 요약 페이지를 보고 우선 차별성과 사업성이 있는지 가늠해보는 것이다.

시간은 한정되어 있고, 지원 기업이 많다면 평가 위원의 수고를 덜어주는 것도 전략이라면 전략일 수 있다. 최대한 도식화하고 표를 활용하라고 권고하는 것은 평가 위원이 이해하기 쉽고, 평가하기 쉽게 사업계획서를 작성하라는 뜻이다. 중요한 내용을 '진하게' 처리하는 것도 이러한 전략의 연장선이다. 특히 서류 평가의 경우 요약 페이지를 먼저 확인하고 사업계획서를 보는 평가 위원이 많다. 따라서 요약 페이지에서 차별성이 돋보이도록 사업계획서를 작성하는 것이 중요하다.

□ **제출서류**

○ **사업계획서 1부** ([별첨 1] 양식)

　* 반드시 동 사업의 사업계획서 양식을 활용 (그 외 양식 제출 시 평가대상에서 제외)

○ **기타 제출서류 각 1부** (해당 시, [별첨 2]의 '증빙서류 제출목록 안내' 참고)

제출 서류	제출 방법	비 고
① 사업신청서	온라인 입력	-
② 사업계획서	파일 첨부	용량 제한 30MB
③ 증빙서류 (필수증빙 및 가점 관련 증빙서류 등 포함)		
* 관련 증빙서류 누락 시 평가 상 불이익이 있을 수 있음		

　　* 가점 증빙서류는 **사업 신청 시 제출**, 미제출 시 가점 불인정 (가점은 서류평가에만 적용)

예비창업패키지 제출 서류 (Sourced 예비창업패키지 공고)

지원사업의 서류는 한글 파일로 제출한다. 지원사업에 따라 PDF로 변환하여 HWP 파일과 PDF를 함께 제출할 것을 권고하는 사업도 있다. 창업 패키지는 MS Word 파일도 서식으로 제공하고 있는데 MS Word의 경우 버전 간 호환의 문제나 서식의 문제로 인해 분량이 넘어가거나 파일이 열리지 않는 경우가 있으니 주의가 필요하다.

서류 제출 시 용량 제한이 있다는 점도 지원 기업은 참고해야 한다. 용량 제한이 30MB이기 때문에 고해상도의 사진이나 복잡한 일러스트 작업물을 첨부하는 경우 문서가 열리지 않거나, 문서의 오류가 발생할 수 있다. 또한, 제한 용량을 넘어가는 경우 파일이 첨부되지 않기 때문에 기업은 사업계획서와 증빙서류의 용량도 확인해야 한다.

증빙서류는 필수 제출일까? 필수 증빙서류는 당연히 제출해야 하지만 가점 관련 증빙서류는 제출할 수 있다면 제출할 것을 권고한다. 또한, 사업계획서에 미처 작성하지 못한 내용이 있다면 증빙서류에 추가로 첨부하여 작성할 것도 권고한다. 시간이 아무리 없다해도 평가 위원은 증빙서류 또한 모두 확인하기 때문에 최대한 제출할 수 있는 자료는 제출하는 것이 좋다.

항 목	체크 포인트
평가 시간	5분 / 10분 발표에 질의응답 10분~15분
평가 위원	3~6명 (서류평가자가 대면평가도 할 수 있음)
평가 방식	대면 / 비대면 평가
피 평가자	발표자가 누구인지도 중요
중요도	사업계획서의 내용과 일치하는지 여부
평가 기관	기관별 특성을 고려

평가에 따라 바뀔 수 있음

- 태도 점수는 없으나 태도를 중요하게 보는 대면 평가가 많음
- 옷은 단정히 입어야 함 (청년도 동일)
- 노출이 심한 옷, 비치는 옷 등 복장 주의

- 발표 연습 추천(스피치, 태도 등)
- 자료 준비하여 발표해도 되나 추천하지 않음
- 대표자가 가급적 발표(기관마다 대리자 지정 가능하니 확인필요)
- 정해진 시간 보다 빨리 마무리하는 것 추천(발표 시간 준수)
- 발표는 오후 시간대 추천

발표 평가 체크포인트 (Sourced 자체 제작)

서류 평가에서 합격하면 발표 평가를 준비한다. 발표 평가는 파워포인트(PPT)로 발표 자료를 준비하여 평가 위원 앞에서 대면하여 발표하는 것으로 최근 들어 중요성이 점점 높아지고 있다. 발표를 잘하지 못한다고 해서 떨어지거나 잘한다고 해서 반드시 합격하는 것은 아니다. 하지만 발표 자료와 대표자의 발표를 들어보면 창업을 얼마나 준비했는지, 아이템의 차별성이 있는지, 사업성은 갖추고 있는지, 대표자와 팀의 역량은 확보되었는지 등이 여실히 보인다.

발표 평가는 평가 위원 앞에서 발표하는 자리이기 때문에 서류 평가와 달리 평가 위원이 보는 앞에서 아이디어를 소개해야 한다. 주어지는 시간은 발표 10분 내외 질의응답 10분 내외이다. 지원사업에 따라 5분이나 15분을 부여하기도 한다. 짧은 시간 안에 아이템의 개요에서부터 차별성, 사업성 등 모든 요소를 다루어야 하므로 (예비) 창업자는 발표 자료의 디자인보다 시간 안에 발표를 마무리하는 연습을 해야 한다. 발표 연습을 하는 것과 하지 않는 것

에서는 정말 큰 차이가 있어서 발표 평가를 앞두고 있다면 자신의 발표 모습을 영상으로 촬영하여 발표 태도를 보완할 것을 권고한다.

평가는 공식적인 자리에서 진행되기 때문에 발표자도 평가 위원도 상호 간의 예의가 필요하다. 평가하러 다녀보면 (예비) 창업자가 간혹 지나치게 자유로운 복장으로 평가에 참여하는 것을 본다. 태도 점수나 복장 점수가 있는 것은 아니지만 자리와 상황에 맞는 옷은 평가에 임하는 기본적인 예의에 해당한다. 따라서 (예비) 창업자는 평가에 참여할 때 단정히 입는 것이 좋고, 노출이 심하거나 비치는 옷, 지나치게 자유분방한 의상은 피하는 것이 좋다.

앞서 언급했듯이 발표 연습은 꼭 하는 것이 좋다. 시간 안에 발표하는 연습과 더불어 스피치나 제스처 등을 연습하는 것이 좋고 대본을 준비하여 외워서 발표하는 것도 좋지만 현장에서 대본을 보면서 발표하는 것은 지양해야 한다.

2024년부터 창업 패키지 지원사업에서는 대표자가 반드시 발표해야 하는 점이 공고되었는데 앞으로 타 지원사업에서도 대표자가 발표하는 것으로 바뀔 것으로 예상된다. 대리 발표가 가능해지면 컨설턴트가 발표하거나 아나운서가 발표하는 등 발표의 공정성이 저해될 수 있다. 대표자 필수 발표는 올해부터 변경된 내용이지만 앞으로도 발표 평가의 기준이 될 것이다.

발표 평가는 사람과 사람이 얼굴을 맞대고 서로를 바라보면서 진행되는 평가이다. 결국, 사람이 하는 일이기 때문에 평가 위원의 보편적인 시각을 만족하는 것이 좋은 전략이다. 발표 시간을 준수하는 것도 좋지만 조금 더 일찍 마무리하여 평가의 수고를 덜어주고, 또렷하고 선명한 목소리로 발표하면 알아듣기 쉽고 평가하기 쉬워진다. 긍정적인 눈빛, 정제된 표현, 논리정연하게 설명하는 것. 무엇보다 평가 위원이 궁금해하는 것에 대해서 수긍하고 잘 답변하는 것으로도 발표 평가에서는 어느 정도 좋은 점수를 얻을 수 있다.

사업계획서 평가의 오해

강의나 멘토링, 컨설팅을 통해 (예비) 창업자를 만나보면 사업계획서에 대한 애로사항이나 평가의 어려움, 구조에 대해서 불만을 말하는 경우가 많다. 사업계획서는 작성이 왜 이렇게 어려우며, 평가 위원은 내 아이템을 잘 모르는 것 같고 정말 잘할 수 있는데 너무 모르고 평가를 하는 것 같다고 생각하는 것이다.

창업 지원사업은 사업을 주관하는 기관, 평가하는 평가 위원, 지원 기업 3자가 참여하는 정부 지원사업이다. 3자마다 생각이 다르기 때문에 각자의 입장을 따져보면 불만이 있다고 생각할 수 있지만, 한편으로 또 이해할 수 있는 부분이 있다. (예비) 창업자의 애로사항이라면 단연 사업계획서일 텐데 사업계획서를 둘러싼 여러 오해에 대해서 3자의 입장에 따라 Q&A로 정리해보면 다음과 같다.

Q. 사업계획서가 반드시 필요할까?

A. 앞서 언급한 것과 같이 사업계획서는 지원사업에서 요구하는 최소한의 서류이다. 지원사업의 재원은 세금이다. 세금으로 지원을 받는 것인데 지원 기업이 지원을 받기에 적합한 기업인지 아닌지를 판단하는데 사업계획서마저 없다면 판단이 어려울 수 있다.

지원액수가 작고 복지 명목으로 혹은 소액으로 다수의 기업을 지원하는 사업의 경우 간단한 코멘트 작성으로도 사업계획서를 갈음하는 경우가 있다. 하지만 이런 류의 사업의 경우 증빙서류를 많이 요구한다. 기관으로서는 사업계획서마저 없다면 지원 기업을 평가할 방법이 없기 때문에 사업계획서를 반드시 제출받아야 평가할 수 있다.

지원액수가 많으면 많을수록 여러모로, 다양한 요소를 평가해야 하므로 사업계획서 분량은 늘어날 수밖에 없다. 금액에 따라 사업계획서의 난이도가 비례한다는 것은 옛말이 아니다. 창업 패키지는 15페이지 이내를 요구하지만, R&D 사업계획서의 경우 20페이지를 요구한다. 입찰에 참여하는 기업은 1억 원을 얻기 위해 수십 장 혹은 백여 페이지 이상의 입찰 제안서를 작성한다. 창업 패키지는 지원액수가 5천만 원 수준인데 불과 15페이지 이내로 지원금을 받을 수 있다면 분량이 너무 작은 것이 아닐까. 상대적이겠지만 사업계획서 분량은 현재 수준 또한 과하지 않다고 볼 수 있다.

Q. 사업계획서 서식을 정해둔 이유는 무엇일까?

A. 만약 사업계획서 서식을 자유 양식으로 한다면 기업마다 다양한 서식으로, 다양한 확장자의 파일로 사업계획서를 제출하여 평가의 공정성이 저해되고 평가 자체가 중구난방이 될 수 있다. 어떤 기업은 한글로 어떤 기업은 MS word로 어떤 기업은 MS Excel로 사업계획서를 만들어 제출할 텐데 만약 고용량 사진만 혹은 영상만 제출한다면 공공기관에서 파일을 열어볼 수도 없는 상황이 발생할 수 있다.

애플의 맥북을 사용하는 (예비) 창업자들은 맥북에서 한글이 지원되지 않기 때문에 한글 파일 작성을 어려워한다. MS word가 있지만, 문서가 한글만큼 공공기관 서식에 맞게 작성되지 않기 때문에 일부 애플 맥북을 사용하는 (예비) 창업자는 한글 서식에 대해서도 불만을 품는다. 하지만 한글은 공공기관에서 범용적으로 사용하고 있는 프로그램이기 때문에 지원사업에 참여하려는 기업이라면 프로그램에 맞추어 서식을 작성해야 한다.

하나의 프로그램, 통일된 양식을 사용하면 사업계획서가 중구난방으로 작성될 수 있는 점을 방지할 수 있고, 명확한 평가 기준을 제시하고 안내할 수 있다. 서식을 지정하여 두었다고 하지만 사업계획서는 여전히 자유도가 높다. 기업은 충분히 도식화를 통해 사업계획서의 차별성, 아이템의 혁신성을 드러낼 수 있다.

Q. 사업계획서 평가 시간이 너무 짧은 것이 아닐까?

A. 경쟁률이 높은 사업일수록 평가 시간이 줄어든다. 평가 예산은 무한정 늘어나는 것이 아니므로 한정된 예산으로 한정된 시간에 평가는 마무리되어야 한다. 따라서 경쟁률이 높은 사업은 평가에 대한 절대적인 시간이 줄어드는 것은 맞다. 하지만 이런 점을 고려하여 평가위원회가 1~2명의 소수가 아니라 5~6명 혹은 그 이상 다인 원으로 구성된다.

평가 위원으로 활동하면서 많게는 하루에 30~40개 과제를 평가한 경험이 있다. 시간은 한정적이고 많은 기업을 평가해야 하니 평가가 어려웠지만 명확한 '평가 기준'이 있었기 때문에 주어진 시간 내에 모든 사업계획서를 검토하고 평가할 수 있었다. 평가 위원을 선정할 때 한 분야의 전문가만 선정하지 않는다. 여러 분야의 평가위원을 선정하여 각 분야에 맞는 전문성으로 사업계획서를 평가하도록 하고 있다. 기관의 평가 기준을 참고하여 평가하면 기준에 따라 평가하되, 전문적인 분야에 대해서는 조금 더 깊이 있게 사업계획서를 평가할 수 있다. 모든 평가가 시간 내에 가능하다는 뜻이다.

(예비) 창업자로서는 심혈을 기울인 사업계획서가 너무 단시간에 평가받는다고 불만일 수 있다. 하지만 나의 사업계획서에만 해당하는 것이 아니라 시간은 모든 사업계획서에 같이 적용되기 때문에 사업계획서 평가 시간이 부족하다고 말하기는 어렵다.

Q. 서류 평가 자료로 발표 평가를 하면 되는데 왜 발표 자료를 별도로 만들어야 할까?

A. 일부 지자체 지원사업은 서류 평가 시 제출한 사업계획서로 발표 평가를 진행한다. 하지만 모든 경우에 발표 평가 자료를 갈음하지 않고 지원 기업이 2배수 또는 3배수에 미치지 못하는 경우에만 자료를 갈음한다.

창업진흥원처럼 부처 산하의 기관을 통해 지원되는 사업은 사업계획서뿐만 아니라 별도의 발표 자료를 제출받는다. 다만 발표 자료에 서류 평가 시에 작성하지 못한 내용을 넣거나 사업계획서의 내용과 다른 자료를 포함하라는 의미는 아니다. 서류 평가에 합격한 지원 기업은 발표 자료 작성에 대한 안내를 받는다. 발표 자료는 사업계획서의 목차에 따라 작성하면 되며, 추가 자료를 포함해도 되지만 사업계획서의 내용과 다른 자료를 넣는다고 해서 더 유리한 평가를 받는 것은 아니다.

사업계획서는 글, 이미지로만 구성되어 있다. 발표를 통해 글과 이미지에서 확인할 수 없는 배경과 상황에 관해서 설명을 들을 수 있고, 질의응답을 통해 궁금증을 해소하여 기술성, 사업성, 차별 우위, 역량 등을 추가로 확인할 수 있다. 따라서 발표 평가 자료를 만드는 수고에 대해서 걱정할 필요는 없다. 디자인을 화려하게 한다고 해서 유리한 것도 아니다. 평가 기준에 디자인 점수는 없다.

Q. 평가 위원이 내 아이템을 정확하게 모르는데 어떻게 사업계획서가 잘 평가되었다고 할 수 있을까?

A. 멘토로 (예비) 창업자를 만나면 가장 많이 듣는 불만이 바로 이 불만이다. 내 아이템을 정확하게 모르는데 어떻게 정확한 평가가 가능하냐는 뜻이다. (예비) 창업자가 업계 최고의 실력자이고 전문가일 수 있다. 경력이 오래되어 누구보다 이 분야를 잘 아는 사람일 수 있는데 평가 위원들은 그에 못지않게, 그 이상으로 현업에 종사하며 각 분야에서 전문성을 쌓아온 전문가들이다.

창업 아이템은 기술력 하나만 평가되지 않고, 사업성과 팀 구성 등 다양한 요소를 평가한다. (예비) 창업자가 놓치는 부분까지 전문가들이 아는 경우가 많고, (예비) 창업자가 중요하다고 생각하는 부분 또한 잘 알고 평가를 진행한다. 평가는 이의 신청 절차가 있지만, 대다수의 (예비) 창업자들은 이의 신청 단계에서 본인의 아이템이 부족했다는 점을 인정하는 경우가 많다.

물론 평가 위원이 잘 모를 수 있다. 하지만 모든 평가 위원이 모르는 것은 아니다. 평가 위원을 여러 명 선정하여 평가위원회를 구성하는 이유가 여기에 있다. 한 명의 평가 위원은 내 아이템을 모르고 평가할 수 있지만, 평가위원회 전체가 아이템을 모른다고 하기는 어렵다.

Q. 특정 평가 위원이 임의대로 합격시킬 수 있을까?

A. 평가에 따라 평가 위원은 3인 이상, 여러 명으로 구성된다. 지금까지 평가해 본 경험에 의하면 지원사업의 평가는 최소 5인 이상으로 구성되는 경우가 많았고, 지원금액이 높을수록 공정성이 필요한 사업일수록 평가 위원은 7명 이상까지도 구성되었다.

평가는 최고점수와 최저점수를 제외하고 평가 점수를 평균한 후에 높은 점수순으로 정렬하여 지원 기업을 선정한다. 기관에서는 합격 기준을 정해두고 합격 기업은 기준 점수 이상을, 탈락 기업은 기준 점수 미만으로 점수를 부여하도록 권고한다. 이때 점수는 가점, 우대 사항을 반영한 점수이므로 탈락하는 기업은 가점이 있어도 탈락할 수 있다. 다만 여러 기업이 같은 점수일 경우에 가점이 있는 기업이 합격할 수 있도록 평가 위원들은 점수를 부여한다.

모든 평가과정은 논의를 거쳐 진행되며, 한 명의 평가 위원이 일방적으로 주장한다고 해서 주장이 관철되진 않는다. 평가위원장도 마찬가지다. 평가위원장이 추천한다고 해서 평가 위원이 반드시 동의해야 하는 것은 아니다. 평가위원장도 평가 위원의 한 사람이기 때문에 특정 기업의 합격 여부를 강하게 주장할 수 없다. 오히려 강하게 주장하게 되면 공정성에 의심을 받을 수 있어서 평가 현장에서 한 위원이 강하게 합격을 주장하는 경우는 없다.

Q. 서류 평가와 발표 평가 중 어느 평가가 더 비중이 높을까?

A. 서류 평가에 합격해야 발표 평가에 참여할 수 있으니 중요도로 따진다면 단연 서류 평가가 더 중요하다고 할 수 있다. 하지만 서류 평가는 2배수 또는 3배수를 뽑기 때문에 서류 평가에 합격했다고 해서 반드시 발표 평가를 대충해도 된다는 의미는 아니다.

2배수, 3배수의 기업과 다시 경쟁하는 것이 발표 평가이기 때문에 발표 평가 또한 2:1, 3:1의 경쟁률이 있다. 발표가 모두 같고, 그 발표가 그 발표 같지만 (예비) 창업자마다 사업계획서를 대하는 태도가 다르고 발표를 들어보면 명확한 차이가 나는 경우가 많다.

실제로 사업계획서는 별로였는데 발표 평가를 통해 시선을 바꾸게 해준 (예비) 창업자도 있었다. 평가 위원들이 모두 별로라고 생각했지만, 발표 한 번으로 생각이 바뀐 것이다. 서류 평가에 합격했다면 모든 창업 아이템은 가시권에 들어온 아이템들이다. 혁신성과 사업성, 차별성이 인정되었다는 뜻으로 이후에는 발표 평가를 통해서 선정 여부가 결정된다.

발표 평가의 비중이 서류 평가에 비해서 낮을 수는 있지만, 전혀 낮지 않다. 발표 평가로도 충분히 창업 아이템의 선정 확률을 높일 수 있으므로 서류 평가와 발표 평가의 중요성은 동등하다.

Q. 이쁘게 디자인된 사업계획서만 합격하는 것이 아닐까?

A. 지원사업의 경쟁률이 높다 보니 일부 (예비) 창업자들은 간절한 마음으로 합격의 묘수를 찾고자 한다. 검증된 전문가의 도움을 받는 방법을 활용하면 되지만 일부 (예비) 창업자들은 제3자를 통해 수수료를 내고 사업계획서를 대필하는 등의 불법 브로커를 활용하는 사례가 적지 않다. 창업진흥원에서는 창업 지원사업에 브로커가 부당하게 개입하는 것을 엄연히 부당한 개입, 불법행위로 보고 있다

창업지원 자금 불법 브로커 주의 안내문 (Sourced K-start Up)

불법 브로커는 창업지원 자금을 수혜를 위해 선정 조건으로 지원금의 일정 비율의 수입료를 요구한다. 사업계획서 대필은 물론이며 정부 기관을 사칭하거나 유사한 이름으로 지원사업을 선정 받을 수 있다고 (예비) 창업자를 현혹한다.

처음부터 이런 불법 브로커를 이용하는 (예비) 창업자는 없을 것이다. 하지만 지원사업 경쟁률이 해가 갈수록 높아지다 보니 지원금이 절실한 (예비) 창업자의 처지에서는 수입료를 주고서라도 합격하는 것이 남는 장사라고 생각하게 된다. 더욱이 사업계획서의 난이도가 상향 평준화되고 있으니 미흡하게 작성할 바에 작성 경험이 풍부한 불법 브로커에게 맡기면 더 디자인적으로 우수하고 잘 작성된 사업계획서를 제출할 수 있다.

하지만 평가제도가 점점 개선되고 있고 창업 지원사업도 해가 갈수록 고도화되고 있다. 더욱이 앞으로는 인공지능과 빅데이터를 활용한 평가시스템이 도입되기 때문에 사업계획서가 중복되는 경우 지원사업 참여에 제재를 받을 수도 있다. 즉, 불법 브로커를 이용하는 경우 사업계획서가 타 아이템과 유사하게 작성되어 중복될 수도 있다는 뜻이다. 실제로 평가 현장에서 한 사람이 작성했다고 봐도 무방할 정도로 유사한 사업계획서를 여러 차례 본 경험도 있다. 디자인이 우수하다고 평가 위원이 점수를 주진 않는다. 브로커들은 디자인을 강조하지만, 평가 기준표에는 디자인 점수가 없으므로 오히려 디자인을 신경 쓰지 말고 내용에 신경 쓰는 것을 추천한다.

Q. 사업계획서를 전문가에게 도움받는 것도 불법일까?

A. 창업진흥원에서는 말하는 제3자 부당개입은 대필 작성을 통한 수수료 제공 행위에 있다. 전문가를 통해 도움을 받는 것은 대필을 의뢰하는 것이 아니며 사업계획서 작성을 지도하는 것에 있기 때문에 제3자 부당개입에 해당하지 않는다. 전문가에게 개인적으로 수수료를 지급하고 자문을 받는 것도 부당개입에 해당하지 않아 추천하지만, 비즈니스 지원단이나 여러 기관의 전문가 활용 프로그램을 이용하면 기관에서 전문가에게 수임료를 지급하기 때문에 적금 금액으로 또는 무료로 사업계획서 작성을 도움받을 수 있다.

합격이 간절하여서 브로커에게 맡기면 합격이 쉬울 거라 믿을 것이다. 하지만 평가구조와 절차에서 설명한 것처럼 브로커라고 해서 평가에 개입하지 못하고, 브로커가 작성한 사업계획서라고 해서 반드시 합격한다는 보장도 없다. 합격한다는 보장이 없는데 비싼 수임료를 낼 필요가 있을까. 대필을 의뢰하여 적발되기라도 한다면 창업 지원사업에 참여할 수 없을 만큼 큰 제재를 받게 된다.

합격률이 높아지기 때문에 오히려 맡겨야 한다고 생각하겠지만, 브로커보다 전문가가 훨씬 다양하고 풍부한 경험을 보유하고 있으므로 검증된 전문가를 통해 지도를 받는 것이 훨씬 안정적이고 높은 합격률을 보장받을 수 있다. 검증된 전문가를 통해 도움을 받는 것은 합법적이며, 공공기관에서 이를 지원한다는 점을 명심하자.

Q. 사업계획서를 여러 사업에 동시에 사용해도 되지 않을까?

A. 창업 지원사업은 하나의 사업계획서로 여러 지원사업에 동시 지원이 가능하다. 하지만 합격이 되면 동시 수행이 불가능한 사업들이 있다. 창업 지원사업의 공고문에 보면 동시 수행 불가 사업에 대해서 붙임 문서로 목록을 제시하고 있다. 예비창업패키지의 경우 소관 부처별 유사 사업은 동시 수행이 불가하다.

붙임 4 | 2024년 동시수행 불가한 창업지원사업 목록

연번	창업지원사업명	소관 부처
1	· 민관공동창업자 발굴육성 (TIPS창업사업화)	중소벤처기업부
2	· 예비창업패키지	중소벤처기업부
3	· 초기창업패키지	중소벤처기업부
4	· 초격차 스타트업 1000+ 프로젝트	중소벤처기업부
5	· 아기유니콘 200 육성	중소벤처기업부
6	· 재도전성공패키지	중소벤처기업부
7	· 창업중심대학	중소벤처기업부
8	· 생애최초 청년창업 지원	중소벤처기업부
9	· 공공기술 창업사업화 지원	중소벤처기업부
10	· 창업성공패키지(청년창업사관학교)	중소벤처기업부
11	· 데이터 활용 사업화 지원사업(DATA-Stars)	과학기술정보통신부
12	· 에코스타트업 지원	환경부
13	· 대한민국 물산업 혁신창업 대전	환경부
14	· 물드림 사업화 지원	환경부
15	· 예술기업 성장 지원	문화체육관광부

동시 수행 불가 창업 지원사업 목록 (Sourced K-start Up)

정부 부처 창업 지원사업과 지자체 창업 지원사업에 동시 지원하는 것은 어떨까? 지자체 창업 지원사업도 단계가 같다면 지원 여부를 확인하는 작업을 거친다. 공고문에 명시되어 있거나 혹 명시되어 있지 않다고 하더라도 적발되는 경우 지원금이 환수될 수 있어서 지자체 창업 지원사업이라 하더라도 동시 수행이 안 된다고 판단하는 것이 좋다.

이렇게 따져본다면 사업계획서를 동시에 사용할 수 없다고 생각할 수 있다. 하지만 사업계획서 서식이 소관 부처가 달라도, 다른 사업이라 하더라도 거의 서식이 유사하기 때문에 다른 단계의 사업이거나 다른 유형의 사업에는 활용할 수 있다. 예비창업패키지에 작성한 내용을 판로개척 지원사업에 활용할 수 있고, 이 내용의 일부를 IP 지원사업에 사용한다거나, R&D 지원사업에도 활용할 수 있다.

중복성 검토는 동일 사업에 지원했을 때 확인하기 때문에 사업계획서에 작성된 내용을 다른 지원사업에 사용해도 된다. 단, 창업경진대회나 공모전의 경우 한 번 수상한 창업 아이템을 다른 대회나 공모전에 출품하게 되면 중복 수혜 여부로 인해 수상이 취소될 수 있으니 주의해야 한다. 창업 아이템을 교묘하게 변경하거나 일부 내용을 변경한다고 해서 유사성이 사라지는 것이 아니니 요령을 피우기보다는 주의하는 것이 좋다.

Q. 사업계획서 안내 사항을 모두 작성하면 되는 것이 아닐까?

A. 사업계획서에서 안내하고 있는 항목을 준수하여 사업계획서를 작성하는 (예비) 창업자들이 있다. 창업하게 된 내적 동기, 외적 동기를 모두 작성하고 배경부터 현황 등 모든 안내 문구에 있는 내용을 최대한 반영하여 작성하는 것이다.

당연히 사업계획서 서식 상 안내하고 있는 것이니 안내에 따라 작성하는 것이 맞다. 하지만 안내는 어디까지나 참고 사항이기 때문에 반드시 작성해야 하는 '필수 작성 항목'은 아니다. 사업계획서 안내에서 요구하는 사항을 모두 반영하기에는 분량이 부족할 수 있다. 또한, 안내에서 요구하는 사항을 작성한다고 해서 더 좋은 점수를 얻을 수 있는 것도 아니다.

안내는 어디까지나 안내일 뿐. 사업계획서가 허용하는 자유도를 고려하여 다양한 이미지와 표를 활용하여 창업 아이템의 차별성을 잘 표현하는 것이 합격에 더 도움이 된다.

사례로 살펴보는 분야별 사업계획서 작성 전략

최근 언론에서 보도된 뉴스에 의하면 창업 지원사업 합격 사업계획서가 몇만 원대에 거래가 되고 있다고 한다. 합격한 사업계획서가 불과 몇만 원의 가치가 있다면 (예비) 창업자들이 비싼 컨설팅을 맡길 이유가 없다. 합격한 사업계획서를 구매한 후에 참고하여 작성하면 되기 때문이다. 하지만 합격 사업계획서가 만약 나의 아이템과 맞지 않는다면 어떻게 할 것인가. 나와 맞는 산업, 나의 아이템과 유사한 사업계획서를 구하여 구매해야 하지 않을까?

이런 해법으로 접근한다면 유사한 아이템으로 합격한 합격자를 찾아서 사업계획서를 구매하겠다고 구매 의향을 보여야 한다. 하지만 창업 지원사업은 합격자가 누구인지 밝히지 않는다. 따라서 누가 어떤 아이템으로 합격했는지 알 수 없다. 나와 유사한 아이템으로 합격한 지원자를 찾아도 지원자로부터 사업계획서를 구매할 리 만무하다. 구매할 수도 없지만 구매한다고 해서 합격이 보장되는 것도 아니기 때문에 구매 자체가 의미가 없다.

최근에는 카카오톡 오픈 채팅이나 카페 등 커뮤니티가 활발히 구성되어 창업 지원사업에 대한 정보가 공유되고 있다. 사업계획서 샘플을 공유하거나 작성 방법, 작성 팁 등이 공유되곤 하는데 활동을 통해서 얻은 정보만으로도 사업계획서를 작성할 수 있다면 전문가 서비스가 필요하거나, 브로커에게 사업계획서를 맡기는 수요가 발생하진 않을 것이다. 커뮤니티 활동으로 모든 정보를 얻을 수 있고 합격할 수 있다면 왜 이런 서비스들이 생길까. 이유는 간단하다. 커뮤니티 활동에서 얻는 정보는 필터링 되지 않은, 오류가 많은 정보이기 때문이다.

사업계획서는 매년 바뀐다. 큰 틀에서 서식이 변경되진 않지만, 작성 가이드가 바뀌거나 요구사항이 변경된다. 작성 가이드가 변경되지 않는다고 하더라도 동일한 것으로 보여도 창업 정책, 지원 방향에 따라 사업계획서에서 중점적으로 보는 부분은 달라진다. 과거에는 고용이 중요했다면 요즘은 수출이 중요할 수 있고, 기술력이 중요하다면 사업성이 중요할 때가 있다. 합격한 사업계획서라고 해서 반드시 다른 사업계획서를 합격시킬 수 있는 것이 아니고, 그해에 합격한 사업계획서라고 해서 다른 해에 합격이 되는 것도 아니라는 뜻이다. 사업계획서 샘플은 어디까지나 샘플이라는 것과 같다.

브로커에게 맡겨도 합격을 보장받을 수 없다. 브로커가 대필하여 사업계획서를 잘 작성했다고 해도 평가에 영향을 줄 수 없으니, 합격을 담보할 수 없다. 디자인에 신경을 썼다고 해도 평가표에는 디자인 점수가 없으며, 내용이 좋다고 해도 그 아이템이 평가 위원 다수로부터 좋은 아이템으로 평가받을지도 미지수이다. 사업계획서를 구해서 샘플을 보고 비슷하게 사업계획서를 작성하면 중복성 검토를 받아 탈락하게 된다. 유사하게 흉내는 낼 수 있지만 결국 유사한 사업계획서는 중복성이 높아 합격을 담보할 수 없다.

사업계획서는 조금 더 쉽게 작성하기 위해 어떤 방법을 사용하더라도 합격과 가까워지는 것이 아니라 오히려 합격과 멀어질 수 있다. 평가에 절대적으로 영향을 줄 방법이 없다면, 잘못된 방법이나 정보를 활용하여 작성하는 것이 합격과 멀어지게 한다면 결국 남은 방법은 정공법뿐이다. 사업계획서를 잘 작성하여 아이템의 차별성, 사업성이 우수한 것으로 평가를 받는 것이다. 거기에 더하여 가점을 챙겨 더 좋은 점수를 받는다면 합격은 더욱 가까워진다.

가점에 대해서는 Part 1의 창업 지원사업 준비 매트릭스에서 언급했다. 지원사업마다 가점 사항, 우대 사항이 달라서 창업 지원사업을 준비하는 (예비) 창업자라면 가장 먼저 지원사업에서 우대하고 있는 가점을 챙겨야 한다. 지원사업은 1~2점 차이로 떨어지는 것이 다반사이기 때문에 가점은 합격에 큰 영향을 줄 수 있다.

※ 사업계획서 작성에 편법이 먹히지 않는 이유

○ 사업계획서 평가의 주안점은 매년 바뀌고 있다.

○ 사업계획서를 베껴 적으면 중복성 검토로 유사성이 확인되는 경우 탈락할 수 있다.

○ 나와 맞지 않는 업종의 사업계획서는 사업추진 방식이 달라 베껴 적으면 실현 가능성에서 낮은 점수를 받을 수 있다.

○ 나와 맞는 업종의 사업계획서를 구했다 하더라도 아이템이 다르면 문제 인식부터, 성장전략까지 모든 면에서 차이가 날 수 있다.

○ 브로커가 대필하더라도 창업을 위해 준비한 모든 것을 대변하지 못하기 때문에 100% 내 마음에 드는 사업계획서를 작성해내지 못한다.

○ 브로커가 대필한 아이템이 좋은 아이템이라는 보장이 없다.

○ 대필한 사업계획서가 반드시 합격을 보장해 주지 못한다.

○ 커뮤니티의 정보는 검증이 되지 않은 정보가 많다.

○ 디자인이 이쁘다고 선정되지 않으며, 디자인을 신경 쓰다가 사업계획서의 핵심을 놓치게 되면 탈락한다.

○ 전문적으로 작성된 사업계획서라고 해서 합격을 보장하지 못한다. 투박한 사업계획서가 오히려 좋은 점수를 얻는다.

문제 인식(Problem)

PSST 모델에 따라 사업계획서를 작성할 때 가장 먼저 문제 인식
(Problem) 분야를 작성한다. 문제 인식 분야는 두 부분으로 나누어
져 있는데 창업을 하게 된 배경과 창업의 필요성을 기재하는 1-1
과 목표 시장 및 고객 분석의 1-2이다.

사업계획서 서식에서 안내하고 있는 내용은 다음과 같다.

1. 문제인식 (Problem)	**1-1. 창업아이템 배경 및 필요성** - 아이디어를 제품·서비스로 개발 또는 구체화하게 된 내부적·외부적 동기, 목적 등 - 아이디어를 제품·서비스로 개발 또는 구체화 필요성, 주요 문제점 및 해결방안 등 - 내·외부적 동기, 필요성 등에 따라 도출된 제품·서비스의 혁신성, 유망성 등
	1-2. 창업아이템 목표시장(고객) 현황 분석 - 제품·서비스로 개발/구체화 배경 및 필요성에 따라 정의된 목표시장(고객) 설정 - 정의된 목표시장(고객) 규모, 경쟁 강도, 기타 특성 등 주요 현황

문제 인식 작성 사항 (Sourced 예비창업패키지 서식)

1-1 창업 아이템의 배경 및 필요성

많은 수의 (예비) 창업자들은 문제 인식 분야에서 '내부적·외부적' 동기에 포인트를 둔다. 왜 창업을 하게 되었는지, 자신의 내적인 이유와 동기를 서술하려고 한다. 지원이 절실하기 때문에 설득을 위해서 자신의 이야기를 풀어놓으려고 하는데 자신의 이야기만 적다 보면 결국 사업계획서에서 요구하는 사항을 놓치기 쉽다.

개인적인 이야기는 사실 여부를 판단할 수 없기 때문에 최대한 지양해야 한다. 창업의 배경과 필요성은 충분히 이해할 수 있는 '객관적인 자료'를 활용하여 공감과 필요성을 느끼게 해야 하고 평가 위원들은 객관적인 자료를 활용했는지 확인한다.

◦ 코로나19 이후 지역 관광 콘텐츠 발굴의 필요성 대두

  – 한국관광문화연구원의 자료에 따르면 코로나19 이후 관광산업의 중점 추진과제로 국내관광 참여 여건 개선과 지역 관광콘텐츠 발굴의 필요성이 조사되었음

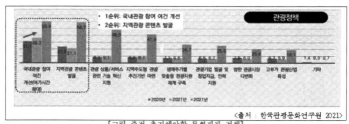

〈출처 : 한국관광문화연구원 2021〉

[그림 중점 추진해야할 문화관광 정책]

창업 아이템의 배경 및 필요성 사례 (Sourced 자체 제작)

예비창업패키지와 같은 창업 지원사업은 '문제 해결형' 창업, '혁신'적인 아이템을 선호한다고 앞서 언급했다. PSST 모델을 사용하는 이유도 기존 산업의 문제점을 개선하거나 혁신적인 아이디어가 잘 기술될 수 있도록 하기 위함이다. 따라서 문제 인식 분야는 개선하고자 하는 산업의 문제, 혁신이 필요하다면 어떤 부분에서 개선이 필요한지 설득과 공감을 위한 자료가 제시되어야 한다.

자료를 제시하는 방법은 공신력 있는 기관의 통계 자료를 활용하는 방법이 일반이다. 예를 들어 지역의 관광 인구가 늘어나고 있고, 관광 정책도 활성화되고 있으며 관광에 대한 수요가 늘어나고 있다는 통계 자료를 제시한다면 (예비) 창업자가 관광 아이템으로 창업해야 한다는 당위성에 힘이 실리게 된다.

개인적인 경험이나 설문 조사는 공신력이 없을까?

개인적인 경험 또는 자체 설문 조사는 충분히 조작할 수 있기 때문에 가급적 지양하는 것이 좋다. 개인적인 경험을 기술하게 되면 감정에 호소하거나 연민을 느끼게 하여 평가에 왜곡이 발생할 수 있다. 만약 통계 자료를 아무리 찾아도 나오지 않는다면 자체적으로 설문 조사해야 하는데 이 경우 설문 조사의 전체 모수는 최소 100명 이상을 넘겨서 충분히 조사되었다는 근거를 제시하는 것이 좋다. 반드시 100명 이상이어야 한다는 것은 아니지만 설문 조사는 모수가 많을수록 편향을 방지할 수 있다.

혁신적인 아이템이 반드시 문제를 해결하는 아이디어는 아니다. 사회의 변화나 트렌드에 따라 새로운 서비스가 등장해야 하는 것도 혁신일 수 있다. 전화로 배달을 요청하던 주문 방식에서 모바일 앱을 활용하여 배달을 이용하는 플랫폼이 등장한 것도 문제 해결 때문만은 아니다. 배달 플랫폼은 트렌드 변화에 따라 자연스럽게 혁신적인 서비스가 등장한 것으로, 사회 변화 또는 트렌드 변화에 따라 새로운 서비스가 필요하다는 점을 기술해도 된다.

□ **성장하는 키즈 시장, 밀레니얼 부모와 에잇포켓을 공략하다.**

최근 5년 동안 키즈 산업은 꾸준하게 성장, 온라인 판매액만 약 5조 원에 달하는 시장을 형성하고 있음.
키즈 시장의 성장 뒤에는 골드 키즈를 향한 밀레니얼 부모의 애정과 소비가 자리하고 있음. 평균 출생아 수는 계속해서 감소하고 있음에도 키즈 시장의 전망은 어둡지 않음.

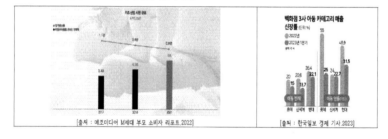

창업 아이템의 배경 및 필요성 사례 (Sourced 자체 제작)

저출산으로 인해 키즈 산업의 성장이 멈출 것 같았지만 사회 트렌드는 오히려 식스 포켓, 에잇 포켓이라는 단어를 만들어 고부가가치 산업으로 키즈 산업을 변화시켰다. 키즈 관련 산업의 매출은 나날이 증가하고 있으며 어른들 또한 지갑 열기를 주저하지 않는다. 산업과 트렌드가 바뀌면 이에 따라 필요한 제품, 서비스가 생겨

나기 마련이고 변화 속에서 기회를 포착하는 아이디어들이 등장한
다. 문제 제기가 아니라면 트렌드 변화에 따른 아이템의 경우 이런
변화 속에서 고객의 니즈가 무엇인지, 시장 현황은 어떠하며 포착
한 틈새시장은 무엇인지를 기술해야 한다.

이전에 없던 전혀 새로운 산업이나 아이디어는 통계 자료도 없고,
트렌드 변화에 따라 제시할 수 있는 근거도 없을 텐데 이런 경우에
는 어떻게 문제를 제기해야 할까?

- NPU는 딥러닝 신경망 모델의 행렬 연산을 수행하는 데 최적화되어 있으며 병렬처리를 효율적으
  로 수행할 수 있도록 아키텍처가 설계되었음. 신경망 처리장치라는 이름에 걸맞게 NPU는 기계
  학습에서도 인공신경망 학습에 치중해 있는 칩을 말함
- 상용화된 NPU는 전력대비 AI 연산능력이 기존 칩들에 비해 매우 우월한 수준을 갖추게 되는데
  **현재는 기존 프로세서에 AI 연산용으로 NPU 부분이 추가되거나 AI 연산기기에 전용 프로세서로
  써 구성되어 사용 중이어서 차세대 시스템반도체를 위한 NPU의 추가적인 개발이 필요함**
- 최근에는 NPU가 모바일 디바이스 및 자율주행차량 등에 사용될 목적으로 개발이 요구되고 있어
  AI 기술의 발전과 함께 더욱 중요한 역할을 하게 될 것으로 예상됨. 내표적인 NPU로, 구글의
  TPU, 삼성전자의 엑시노스(Exynos) 내에 있는 DeepX, 퀄컴의 제로스(Zeroth) 등이 시장 형성 초
  기에 언급되고 있음

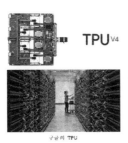

[그림. 구글, 삼성, 퀄컴의 NPU]

창업 아이템의 배경 및 필요성 사례 (Sourced 자체 제작)

문제 인식 분야가 반드시 통계 자료를 제시해야 하는 것은 아니다. 신산업은 통계 자료가 없거나 아직 산업 환경이 조성되지 않아 설문 조사를 하기에도 모호한 경우가 있다. 관계 산업의 통계 자료를 근거로 설명할 수는 있지만, 제품이나 서비스의 사진이나 뉴스의 헤드라인을 제시하는 것만으로도 충분히 사업의 공감대를 끌어낼 수 있다. 예를 들어 인공지능 반도체가 필요하다는 것은 모두가 공감하는 내용이다. 기존 반도체가 인공지능에 최적화된 반도체가 아니기 때문에 통계 자료가 없어도 인공지능 반도체 이미지를 제시하는 것만으로도 평가 위원은 개발의 필요성을 충분히 느낄 수 있다.

1-2 창업 아이템 목표 시장(고객) 현황 분석

1-2는 창업 아이템의 목표 시장(고객)의 현황을 기술하는 분야다. 목표 시장과 고객을 분석하는 것도 문제 인식과 결을 같이한다. 목표 시장과 고객 분석은 누가 우리의 고객인지, 창업 후에 진입하고자 하는 산업이 어디인지 자료를 활용하여 설명해야 한다. 창업의 동기와 같이 '객관적인 이유'를 들어 기술하라는 것인데, 1-1에서 다양한 방법으로 통계 자료를 대신할 수 있는 것과 달리 1-2의 경우 정확하게 조사된 자료와 근거를 제시해야 평가 위원으로부터 좋은 평가를 받을 수 있다.

(예비) 창업자들은 1-2를 어려워한다. 단순 기술이라고 생각했는데 갑자기 자신의 의견을 뒷받침할 자료를 찾으라고 하니 선뜻 어렵게 느낀다. 통계 자료를 찾기도 쉽지 않은 일인데 자신의 주장을 뒷받침할 정확한 통계를 찾아야 하니 더욱 어려운 일이다. 창업 지원사업뿐만 아니라 R&D 지원사업에서도 시장 조사가 정확하게 수행되지 않으면 평가 위원으로부터 좋은 점수를 얻지 못한다. 따라서 1-2는 어렵지만, 반드시 신경 써서 작성할 것을 권고한다.

－ 시장의 기회 "인공지능(AI) 반도체 시장의 성장"

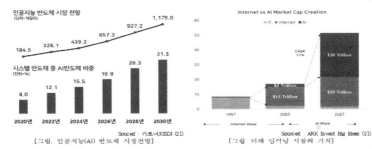

[그림. 인공지능(AI) 반도체 시장전망]　　　[그림. 미래 딥러닝 시장의 가치]

- 인공지능(AI) 반도체 세계 시장 규모는 2030년 1,179억 달러(약 137조 원)에 이를 것으로 전망되고 있음. 시스템반도체 중 인공지능(AI) 반도체의 비중은 2030년까지 31.3%에 달할 것으로 추정되어 인공지능(AI) 반도체를 선점하는 기업이 산업을 선도하는 기업이 될 것으로 예상됨
- 인공지능(AI) 반도체 시장이 창출할 가치는 약 30경으로 추산되고 있으며 이는 인터넷이 창출해낸 가치보다 **약 1.5배 이상 높은 수치로 볼 수 있음**
- 5G, 자율주행차, 클라우드 등 인공지능 제품 및 서비스의 확대로 **인공지능(AI) 반도체의 수요는** 지속적으로 증가할 것으로 예상되며 **아직까지 뚜렷한 승자가 없는 보통 수준의 경쟁시장**이기 때문에 **창업기업 및 스타트업의 시장 진입이 비교적 용이한 시장임**

창업 아이템의 목표 시장(고객) 현황 분석 사례 (Sourced 자체 제작)

1-2는 목표 시장과 고객, 경쟁 기업 분석이 핵심 키워드이다. 일반적으로 목표 시장의 통계 자료를 통해 시장 현황에 관해서 기술한다. 시장 현황에 대해서 1~2가지 통계 자료를 제시하고 고객에

관해서 기술하기도 하고 어떤 (예비) 창업자는 시장과 고객을 1~2 장표로 제시하고 경쟁 정도나 경쟁 기술에 대해서 집중적으로 설명하기도 한다.

통계 자료를 기반으로 시장 현황을 설명할 때는 단순히 통계 자료를 설명하는 것에서 그치면 안 된다. 시장이 성장하고 있는데 현재 시장 현황을 기술하고, 따라서 창업 아이템이 필요하다거나 핵심 서비스가 요구되고 있다는 논리로 시장을 설명해야 한다. 만약 통계 자료를 조사했더니 산업의 성장이 정체되어 있다면 어떻게 할 것인가. 정체된 산업은 정체된 문제가 있을 수 있다. 혹은 산업에 진입한 기업 간의 경쟁 현황에 변화가 있을 수 있으므로 시장 현황을 설명하면서 자연스럽게 경쟁 정도를 기술하는 것이 좋다.

하락하고 있는 산업은 어떨까. (예비) 창업자의 관점에서 산업이 성장하지 못하고 하락하고 있는 분야로 창업을 하기란 쉽지 않은 일이다. 반드시 하락하고 있는 산업이 불리한 것은 아니지만 하락하고 있는 이유를 새로운 해법이나 아이디어로 해결하는 것이 아니라면 하락하고 있는 통계 자료가 긍정적이지 못한 것은 사실이다. 하락하는 통계가 영향을 주는 것은 아니지만 중요한 것은 창업 아이템이 하락하는 산업의 수요를 견인할 수 있을 것인지 여부이다. 따라서 하락하고 있는 산업의 경우 통계 자료를 제시하되, 산업의 구조적인 문제점이나 미흡한 점을 개선하겠다는 논리가 좋다.

통계 자료는 일반적으로 국내 자료를 기반으로 하여 제시해야 하고 필요한 시 국외 자료를 함께 제시하는 것이 좋다. 통계 자료는 3년 이내의 자료를 사용해야 최신성을 인정받을 수 있다.

2024년 기준으로 3년 전이면 2021년이다. 코로나 19는 산업의 구조를 180도로 바꾸어 놓았기 때문에 3년 전이라 해도 코로나 19가 성행하던 시기였다. 코로나 19 이전과 이후의 세상은 다를 수밖에 없기 때문에 코로나 19 이전에 조사된 통계 자료는 코로나 19 이후의 산업 변화를 반영하지 못한다. 10년이면 강산이 바뀐다고 하는데 요즘은 3년이면 세상이 바뀌고 있다. 통계가 빠르게 조사된다고 하지만 1~2년 전에 조사된 자료가 뒤늦게 나오는 경우가 많아서 통상 3년 정도면 최신 통계 자료라고 볼 수 있다.

경쟁 분석은 경쟁 기업이나 기술에 관한 내용이다. 다만 1-2에서는 목표 시장에 대한 현황과 통계에 조금 더 비중이 있기 때문에 경쟁 분석은 다른 분야에서 기술하는 것이 좋다. 고객의 정확한 니즈가 파악되지 않는 산업이거나 경쟁 현황이 우리 제품·서비스를 더 설명하기에 적합하다고 판단된다면 경쟁 분석에 기술하고 그렇지 않다면 실현 가능성(Solution) 분야에서 경쟁 분석을 다루는 것이 좋다. 실현 가능성에서는 창업 아이템의 차별성을 기술해야 하는데 이때 경쟁 기업이나 기술 대비 우리 아이템의 차별성을 같이 설명하면 된다.

○ 국내 경쟁기관 및 기술 현황

  - 삼성전자의 삼성커넥트, SmartThings
  • 삼성전자는 가전제품의 연결이 아닌 지능화된 서비스를 지향하고 있음
  • 삼성 커넥트, 아틱(ATIK), SmartThings 를 클라우드 기반으로 서비스를 제공하고 있으
    며 자사의 가전기기를 관리하는 통합 플랫폼으로 발전시켰음.
  • 인공지능 기반의 화자인식 기능을 탑재하여 구성원을 파악하는 수준으로 기술을 발
    달하였으나 기술의 고도화가 필요한 단계임

[그림. 삼성전자 스마트홈 서비스]

창업 아이템의 목표 시장(고객) 현황 분석 사례 (Sourced 자체 제작)

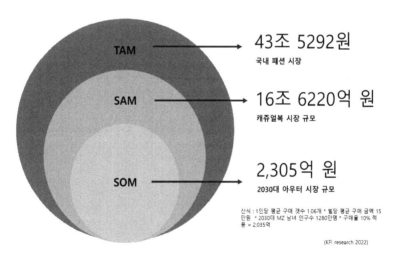

창업 아이템의 목표 시장(고객) 현황 분석 사례 (Sourced 자체 제작)

시장 현황을 설명하기 위해 통계 자료를 제시하는 (예비) 창업자도 있지만 시장 분석 기법인 탐삼솜(TAM-SAM-SOM)을 통해 타겟 시장의 규모를 제시하는 (예비) 창업자도 있다.

탐삼솜(TAM-SAM-SOM)은 시장 분석을 통해 창업기업의 진입 시장인 타겟 시장의 규모를 산출하는 기법이다. TAM은 Total Addressable Market의 줄임말로 전체 시장을 의미한다. 제품과 서비스 전체를 포함하여 도메인의 크기를 말한다. SAM은 Service Available Market의 줄임말로 유효 시장을 의미한다. 전체 시장(TAM)이 크기 때문에 창업기업이 진입할 수 있는 서비스 가능한 범위의 시장 규모를 SAM이라 하고 비즈니스 모델이 적용되는 시장이다. SOM은 Service Obtainable Market의 줄임말로 수익 시장이라고 표현된다. SOM은 유효 시장(SAM)에서 초기 단계에 창업기업이 확보 가능한 시장으로 실제 제품을 구매할 수 있는 고객이 있는 시장을 의미한다. 따라서 타겟 시장(Target Market)이라고도 불린다.

예를 들어 인플루언서 광고 중개 플랫폼으로 창업하고자 하는 (예비) 창업자가 있다면 전체 시장(TAM)은 모바일 광고 시장으로 유효 시장(SAM)은 소셜미디어 광고 시장으로, 수익 시장(SOM)은 인플루언서 마케팅 시장으로, 단계적으로 범위를 좁혀가며 기술할 수 있다. 탐삼솜(TAM-SAM-SOM)은 창업 지원사업 사업계획서에서도 사용할 수 있고 여러 지원사업에서도 적용되는 시장 분석 기법이다. 주의할 점은 수익 시장(SOM)인데, 수익 시장 규모가 지나치게 작은 경우 초기에 얻을 수 있는 매출이 낮아 성장성이 낮은 아이템으로 판단될 수 있다. 따라서 1~2,000억의 규모로 1% 시장 점유율을 가정했을 때 1~20억 정도의 수익 시장(SOM)을 산정하는 것이 좋다.

1-2. 창업아이템 목표시장(고객) 현황 분석

창업 아이템의 목표 시장(고객) 현황 분석 사례 (Sourced 자체 제작)

고객의 니즈를 분석할 때는 시장 현황이나 규모와 함께 제시하는 것이 좋다. 시장의 현황이나 변화를 제시하고 시장에 참가하고 있는 고객(소비자)이 원하는 제품, 서비스가 없으며 이를 개발하기 위해 지원사업에 참여한다는 논리로 기술하는 것이다. 일부 강의나 컨설팅에서는 고객 페르소나(Persona)를 강조하여 페르소나를 직접 제시하라고 하지만 고객 페르소나까지 기재하기에는 지면이 부족할 수 있다. 고객 페르소나는 가상의 고객이기 때문에 고객의 니즈는 시장 현황과 함께 제시하거나 혹 고객의 니즈를 구별하여 작성하는 것을 추천한다.

지원사업에 따라 고객의 요구사항 분석을 직접 요구하는 분야도 있다. 청년 창업사관학교의 경우 고객의 요구사항을 분석하라고 제시하고 있는데 고객의 요구사항은 뒤집어 이야기하면 우리 제품이나 서비스의 강점 요소라고 해석할 수 있다. 고객이 스마트폰을 활용하여 간편하게 배달 주문을 하고 싶다면(요구사항), 창업기업은 배달 플랫폼을 만들어서 간편 결제 시스템을 구축(강점)하면 된다. 고객이 할인율이 높은 제품을 구매하고 싶다면(요구사항) 할인 폭이 높은 제품을 구매할 수 있는 기능(강점)을 추가하면 된다.

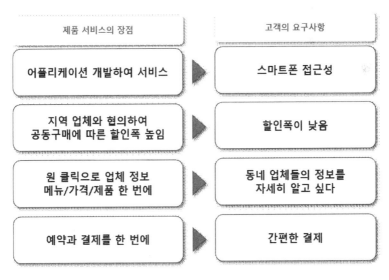

고객의 요구사항 분석 사례 (Sourced 자체 제작)

고객의 요구사항은 요구사항이 반영된 제품이나 서비스가 있는지를 분석하는 것이기 때문에 우리 제품과 서비스의 강점이 무엇인지를 설명하는 것과 같다. 따라서 고객의 요구사항을 분석하려면 AS-IS/TO-BE 방식으로 요구사항과 제품 서비스의 강점을 비교 분석하거나 혹 초기 시제품을 테스트한 고객 반응을 제시하는 것이 좋다.

1-4. 고객 요구사항 분석

■ **BM 서비스 검증**
-         고등학교와의 협력
  1) 중,하위권(저소득층)학생 대상 온라인 영어 강의 추천 진행
  2) 온라인 강의 학습 모니터링

-         고등학교와의 협력 결과
  1) 학습자의 학습 상태에 맞는 온라인 강의 선택으로 온라인 강의 완강률 UP(평균 47.5% 향상)

-BM 모델 검증(협력)-   -".   " BM 모델 이용 전.후 완강률 비교-

고객의 요구사항 분석 사례 (Sourced 초기창업패키지 예시)

실현 가능성(Solution)

문제 인식(Problem) 분야에서 창업 아이템에 대한 필요성, 당위성을 근거 자료를 통해 제시했다면 실현 가능성(Solution) 분야에서는 문제 해결을 위해, 창업을 위해 얼마나 준비되었는지, 어떻게 창업을 구체화하고 있는지 작성해야 한다. 실현 가능성은 문제 인식과 같이 창업 아이템 현황(준비 정도) 2-1과 창업 아이템의 실현 및 구체화 방안을 기술하는 2-2 두 부분으로 구성되어 있다.

사업계획서 서식에서 안내하고 있는 내용은 다음과 같다.

2. 실현가능성 (Solution)	2-1. 창업아이템 현황 (준비 정도) - 사업 신청 시점의 제품·서비스 개발 또는 구체화 준비 이력, 단계(현황) 등
	2-2. 창업아이템 실현 및 구체화 방안 - 제품·서비스에 대한 개발 또는 구체화 방안 등 - 보유 역량 기반, 경쟁사 대비 제품·서비스 차별성 등

실현 가능성 작성 사항 (Sourced 예비창업패키지 서식)

2-1 창업 아이템 현황(준비 정도)

창업 아이템의 현황(준비 정도)은 사업을 신청하는 시점에서 (예비) 창업자가 창업을 위해 얼마나 준비되어 있는지, 어떻게 준비를 해왔는지 기술하는 분야다.

2-1. 창업아이템 현황(준비정도)

○ 실시간 통신에 적합한 하드웨어 설계 및 최소 구성단위의 디스플레이 개발 완료하였으며 데이터 분석 구조 및 어플 와이어프레임 구성함.

○ 아이템 개요

LCD 전자가격표시 상품진열대 및 모바일 기술 융합을 통한 상업용 IOT 시스템
1. 종이 가격표의 비효율적 시스템 -> 전자시스템을 통한 상업용 IOT 구성
2. 종이 가격표의 가시성 저하 -> LCD를 활용한 컬러, 멀티, 동적 디스플레이
3. 소상공인의 상업 IOT 비용 -> 모바일을 활용한 소량 상품에 대한 시스템 구성

○ 효과적인 하드웨어를 통한 중앙제어 및 실시간 반영
 - 다수 점포에 대한 정보 제공과 고객과의 상호작용 강화
 - 빠르고 정확한 정보 제공 : 최신의 정보로 이용자에게
 - 동적 가격 변동 : 마감 및 특정 시간에 따른 할인 반영, 손익 균형 유지, 최대한의 수익 확보
 - 고객 참여 증가 : 진열상품이 마지막입니다. 실시간 정보 노출(재고 등) 고객과의 결정 상호작용

창업 아이템 현황(준비 정도) 사례 (Sourced 자체 제작)

창업 아이템의 현황(준비 정도)을 기술하는 방법은 다양하다. 일반적으로 제품의 개발 현황을 기술하는 방법을 가장 많이 사용한다. 창업 아이템이 제품이라면 제조 단계별 진행 상황을 기술하는 것이다. 제품의 개발 순서에 따라 개발 현황을 작성하고, 단계별 추진 내용을 제시한다. 필요한 시 생산 공정을 제시하거나 참여 주체별 역할, 조직 구성 등을 작성하는 (예비) 창업자도 있다.

2-1. 창업아이템 현황(준비정도)

○ 아이템 현황

- 생산 공정 조사 및 분석

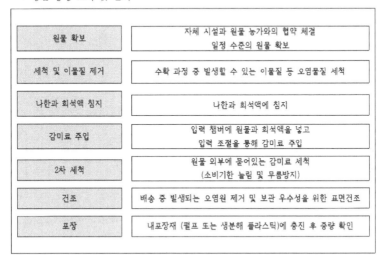

원물 확보	자체 시설과 원물 농가와의 협약 체결 일정 수준의 원물 확보
세척 및 이물질 제거	수확 과정 중 빌생할 수 있는 이물질 등 오염물질 세척
나한과 희석액 침지	나한과 희석액에 침지
감미료 주입	입력 챔버에 원물과 희석액을 넣고 입력 조절을 통해 감미료 주입
2차 세척	원물 외부에 묻어있는 감미료 세척 (소비기한 늘림 및 무름방지)
건조	배송 중 빌생되는 오염원 제거 및 보관 우수성을 위한 표면건조
포장	내포장재 (펄프 또는 생분해 플라스틱)에 충진 후 중량 확인

창업 아이템 현황(준비 정도) 사례 (Sourced 자체 제작)

예비창업패키지의 지원 범위는 시제품 제작까지이기 때문에 제품이 개발 현황을 기술하면 불리할 것으로 생각하는 (예비) 창업자가 있다. 하지만 이미 개발에 착수했다고 하더라도 지원사업에 참여할 수 있다. 오히려 시제품 개발을 위한 절차와 준비 정도를 기술하면 충분히 창업을 위해 준비되어 있다는 것을 보여줄 수 있다. 따라서 제품 개발 절차를 제시하고 이에 따라 창업자가 수행한 내용은 무엇인지, 패키징이나 디자인이나 품질 등 창업을 위해 추진하고 있는 내용을 기술하는 것이 좋다.

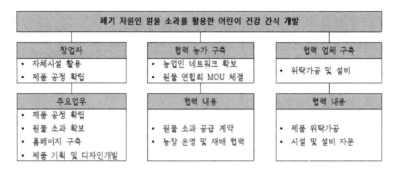

폐기 자원인 원물 소과를 활용한 어린이 건강 간식 개발

창업자	협력 농가 구축	협력 업체 구축
• 자체시설 활용 • 제품 공정 확립	• 농업인 네트워크 확보 • 원물 연합회 MOU 체결	• 위탁가공 및 설비

주요업무	협력 내용	협력 내용
• 제품 공정 확립 • 원물 소과 확보 • 홈페이지 구축 • 제품 기획 및 디자인개발	• 원물 소과 공급 계약 • 농장 운영 및 재배 협력	• 제품 위탁가공 • 시설 및 설비 자문

창업 아이템 현황(준비 정도) 사례 (Sourced 자체 제작)

만약 지원 시점이 창업 아이템을 개발하기 전이라 하더라도 (예비) 창업자는 창업을 위해 역할분담은 준비하였을 것이다. 혼자서 모든 일을 다 할 수 없으니, 누구는 설계를 누구는 디자인을 누구는 제조하는 방식으로 업무를 분담해두는 것이다. 이렇게 참여 주체별로 역할을 제시하는 경우 (예비) 창업자, 외부 협력업체, 컨소시엄과 같이 참여 주체별로 수행 내용이 어떻게 구분되는지 함께 기술하는 것이 좋다. 역할을 기술하는 방법도 좋고 예시와 같이 표로 제시하여서 한 눈에 보기 쉽게 제시하는 것도 좋다.

(예비) 창업자가 창업을 위해 교육을 받았거나 자격증을 취득하는 것은 기술할 수 없을까? 아니다. 창업을 위해 교육을 받았거나 자격을 취득하는 것도 모두 작성할 수 있다. 다만 팀 구성(Team)에서 대표자(팀)의 역량을 기술할 수 있으므로 간단히 작성하는 것이 좋다.

2-1. 창업아이템 현황(준비 정도)

○ 미싱 대여를 위한 재봉틀 이해도 제고
- 소품 만드는 재봉 수업1 수료 (23.09.29 - 23.12.09)
- 재봉틀 사용법 및 원단, 손바늘 질 및 실, 원사의 이해 등을 통해 미싱 대여를 위한 사업
  을 준비하기 위한 교육 수료함

○ 공예 창업반 교육 참여 중
- 공방 창업반 교육 참여하여 판매할 물품을 직접 제조하며 상품화 하였음
- 조리개 에코백, 티슈커버, 가위 공구집, 밴드형 핀꽂이, 펜꽂이, 파우치 3종, 베개버커, 파
  이핑 쿠션, 앞치마, 빅백, 버킷햇,
- 소품 만드는 재봉 수업2 진행 중 (24.01.03-)

창업 아이템 현황(준비 정도) 사례 (Sourced 예비창업패키지 사례)

2-2 창업 아이템 실현 및 구체화 방안

창업 아이템의 현황(준비 정도)을 기술했다면 2-2에서는 창업 아이템의 실현 및 구체화 방안을 제시해야 한다. 실현 및 구체화 방안은 아이디어 단계에 머물러 있는 창업 아이템의 사업화를 위해 어떤 절차와 단계를 밟아서 사업화를 할 것인가에 관한 내용이다. 사업계획서 안내 문구에 따르면 개발 또는 구체화 방안과 경쟁사 대비 차별성을 기술하라고 제시하고 있다.

'개발 또는 구체화 방안'이라는 안내 문구 때문에 2-1과 같이 제품 제조 단계, 개발 방법을 제시하는 (예비) 창업자가 많다. 제품 제조나 개발 방법은 앞서 창업 아이템의 현황(준비 정도)에서 기술하기 때문에 2-2의 실현 및 구체화 방안은 '사업화 방안'으로 생각하고 작성하는 것을 추천한다. 사업화 방안은 제품 개발을 포함하여 판로개척, 외부 업무 협력, 국내외 사업의 확장까지를 모두 고려

한 구체화 방안이다. 사업을 추진하기 위해서 단계적으로 밟아나가
야 할 마일스톤(Milestone)이라고 이해하면 이해가 쉬울 것이다.

2-2. 창업 아이템 실현 및 구체화 방안

○ 원료 생산부터 상품 제조, 판매까지 일원화된 시스템
  - 스마트팜을 통한 제품의 생산성 증대 및 가장 신선한 원료의 산지 현장 수급
  - 일원화된 시스템이 줄 수 있는 맛과 품질, 가격 등의 안정성을 도모하여 소비자에
    게 고품질의 농산 원물 및 제품 제공
  - 농업의 융복합화 실현 및 농업을 통한 고부가가치 제품과 서비스로 현실적인 농
    가의 추가 소득 창출 방법 제시

○ 전문인력을 통한 체계적인 농업 체험프로그램 개발 및 운영
  - 유아 및 사회복지 전문가와 협업하여 수요자 맞춤형 체험프로그램 개발
  - 단순한 수확 체험이 아닌 세대별 맞춤 프로그램 개발을 통한 주니어, 시니어 치유
    에 특화된 체험 프로그램 운영

○ 기존에 없는 로컬 푸드만의 특색 있는 디저트
  - 지역을 대표하는 시그니처 디저트로 브랜딩하여 지역 관광 활성화 및 치유 커뮤
    니티 및 콘텐츠 개발에 활용
  - 로컬 원물만의 도시에서 벗어나 브랜드와 로컬 푸드로의 지역을 알릴 수 있는 시
    그니처 상품 개발 및 홍보

창업 아이템 실현 및 구체화 방안 사례 (Sourced 자체 제작)

예를 들어 시그니처 디저트를 개발하는 창업 아이템이라고 가정
해 보면, 시그니처 디저트의 '창업 아이템의 현황(준비 정도)'은 재
료를 수급하고 가공하는 방법이나 속 재료를 어떻게 구성할지, 디
저트 디자인을 로컬 자원과 어떻게 연결할지에 대한 내용으로 이루
어진다. 하지만 '개발 및 구체화 방안'은 창업 아이템을 사업화하는
것이기 때문에 위의 예시와 같이 전체적인 사업화 방안을 제시해야

한다. 개발된 시그니처 디저트를 잘 만들기 위한 시스템을 구축하고 제조 현장을 활용할 수 있는 방안, 추가적인 제품 개발 계획까지 담는 것이다.

2-2. 창업아이템의 실현 및 구체화 방안
o **고령층 건강상태에 따른 단계별 제품 구성 제공**

1단계(현재)	2단계 (하반기)	3단계 (2025~)

혀로섭취	잇몸섭취	치아섭취
마시는 죽 완료	잘게 썬 죽 개발	부드러운 찜 개발

- 고객 요구사항 분석 결과 **국내산 원재료** 선호, 다양한 제품군 개발에 대한 니즈 확인
- 국내산 원재료 함유 등 제품 개선과 고령층 건강상태에 따른 '**잇몸섭취**' 가능군을 위한 '**효소 담아 소화가 잘되는 죽**' 개발 착수
- 사업 선정 이후 2024년 상반기부터 시제품 검증 및 개선 작업을 통해 한국산업표준의 기준을 고려하여 단계적으로 제품 양산 시작

o **자사 식품의 영양소 흡수 & 연하 기술 확보노력**
- 발효식품 뿐 아니라 분말화하여 첨가 후 **발효효소** 프로테아제, 아밀라아제, 셀룰라아제, 피코필라제 등을 더욱 첨가하여 **노인의 영양소 흡수율을 높였음**
- 발효효소를 활용하여 영양소 흡수를 높인 고령친화식품 제조기법 연구 개발을 통한 특허 출원 예정
- '치아 섭취' 단계에서 필요한 형태유지 & 연하기술 관련 기술구매 또는 공동연구를 통해 자사 경쟁력 확보

창업 아이템 실현 및 구체화 방안 사례 (Sourced 예비창업패키지 사례

기술을 활용하여 제품을 개발하는 아이템이라면 단계에 따라 추가로 개발할 제품군은 무엇인지, 권리화 계획과 권리화 대상 기술은 무엇인지, 앞으로 어떻게 경쟁력을 구축해 나갈 것인지에 대한 내용을 실현 및 구체화 방안에 기술하는 것이 좋다. 예비창업패키지가 사업성을 중요하게 보기 때문에 무조건 '규모화', '높은 매출'

을 강조하는 (예비) 창업자가 많지만, 기술창업의 경우 대상 기술의 기술력과 지식재산권 확보 전략, 권리화 이후의 기술 활용 방안, 사업성까지 유기적으로 연결된 전략이 평가 위원으로부터 좋은 점수를 얻는다.

항목	A사	B사	창업기업
제품군	식이 보충제	컵, 접시, 시계, 케이스	캔들 및 다양한 제품군
포장디자인	플라스틱 병	커피 찌꺼기를 재활용한 박스	상품 종류나 고객의 취향에 맞는 포장 제공(선물용)
캔들디자인	X	X	다양한 텍스처, 친환경적 디자인
콘텐츠	피트니스 제품, 블로그 소통	일상용품, 블로그 소통	캔들 및 일상용품, SNS 및 지역 커뮤니티 활동
커피박 향	X	X	지역 커피샵과 협력, 고객 맞춤형 향 제공

〈개발 아이템의 차별요인〉

o 차별화 전략 방안

- 친환경 캔들이기 때문에 패키지 디자인이 부족할 것이라는 편견을 깨는 다양한 포장 및 디자인 옵션(커스터마이징) 제공하여 소비자의 디자인 심미성 제고
- 안정적인 커피박 확보 및 다양한 향, 풍미 개발로 단일화된 향이 아닌 다양한 향기의 캔들 제품 제작 및 판매로 소비자의 선택 옵션 증가
- 지속 가능성이 높은 R&D 캔들을 제작하기 위해 지속적인 R&D 투자
- 친환경 및 지속 가능한 비즈니스를 위해 재활용 - 환경보호의 가치를 제공

창업 아이템 실현 및 구체화 방안 사례 (Sourced 자체 제작)

(예비) 창업자를 멘토링 해보면 가장 어려워하는 부분을 차별성이라고 말한다. 차별점이 뚜렷하지 않은 이유도 있지만 대부분 차별점이 있다고 해도 어떻게 표현해야 할지 어려워하는 경우가 많다. 창업 아이템의 실현 및 구체화 방안에서 차별점을 요구하는 것은 안내 문구를 보면 구체적으로 이해할 수 있는데 '경쟁사 대비

차별성'이라는 주석이 달려있다는 점에 주목해야 한다. 우리 제품·서비스의 차별성만을 강조하기보다 경쟁사와 비교하여 차별성을 제시하라는 것이다.

경쟁사와 비교하여 차별성을 제시하려면 비교해야 한다. 비교를 가장 쉽게 시각화할 수 있는 것은 표를 만들어 항목별로 경쟁사와 비교하는 방법이다. 최근에는 표를 만들어 비교하는 것을 '비교표'라고 부르고 있으며, 여러 지원사업에서 비교표를 요구하기도 한다.

항목	경쟁사 A	경쟁사 B	창업기업
함량	1% 미만	1% 미만	3% 이상
주요 원료	편백수	편백수	편백오일
제품 구성	피부 케어	치료제 중심	종합 케어 제품
주요 타겟	성인 대상	성인 대상	아동 대상
가격대	2~3만원 대	3~4만원 대	2만원대
핵심 경쟁력	없음	없음	가성비 + 종합 케어

[표 개발 제품의 차별요인]

○ 초편백오일 함유량이 3%이상 제품 출시
 - 시중 제품은 편백 정유(오일)이 아닌 편백수를 활용하고 있는 제품이 대부분이며 편백오일을 사용하더라도 비용측면에서 함량이 매우 낮음(1% 미만)
 - 편백전문기업과의 공동연구개발을 통해 함유량은 높이면서 창업기업의 유통 역량을 통하여 초편백오일 함유량이 3% 이상 함유된 아토피 케어 패키지 출시

창업 아이템 실현 및 구체화 방안 사례 (Sourced 자체 제작)

비교표를 제시하여 경쟁사 대비 (예비) 창업자의 아이템이 어떤 차별성이 있는지 비교하면 시각적으로 손쉽게 비교우위를 확인할 수 있다. 몇 개의 항목으로 비교해야 좋은가에 대한 명확한 기준은

없지만 통상 4~5가지 이상의 항목을 비교하여 차별성을 강조한다. 추천하는 방법은 비교표를 만들되, 4~5가지 항목에서 경쟁사와 비교하고 항목에 대한 자세한 설명을 표 상단, 하단에 추가 기술하는 것이다.

비교하는 항목은 정량적인 항목이 좋을까, 정성적인 항목이 좋을까? 정답은 없지만, 정량적인 항목을 우선하여 비교하되 정성적인 항목을 1~2가지 포함하여 비교할 것을 권고한다. 경쟁사 대비 차별성이 반드시 수치적인 우위만을 의미하진 않는다. 기능상의 차이나 디자인의 차이 등은 수치로 표현되지 않기 때문에 이런 정성적인 항목들도 포함하여 차별성을 기술한다면 평가 위원으로부터 비교우위에 대해서 좋은 평가를 받을 수 있다.

신기술, 신산업 분야의 경우 경쟁 기업을 직접 언급하면서 기술비교를 해야 할 때가 있다. 이 경우 비교표를 작성하여 비교하되 추가로 경쟁 기업과의 기술비교, 제품 비교를 통해 시장의 특징과 현황을 비교하여 제시하는 것이 차별 우위를 강조하는 데 도움이 된다. (예비) 창업자들은 차별 우위가 경쟁 기업을 깎아내리는 것으로 생각하기도 한다. 하지만 차별 우위는 경쟁 기업의 미흡함을 지적하는 것이 아니라 경쟁 기업의 현황과 우수성을 제시하되 창업 아이템이 가지고 있는 차별화된 장점을 돋보이게 하는 것이다.

□ 국내외 경쟁기관 및 기술 현황 비교분석

경쟁기관명	제품명	기술현황, 특장점 및 시장점유율	본 제품과의 비교
(국외) Google Amazon	음성인식기반의 커넥티드 스피커 echo 개인비서 Alexa	-스마트홈 데이터 허브로 시장을 선점하고 하고 있음 -스마트폰 기반의 서비스 제공 -시장점유율 낮음	ㅇ스마트폰 기반으로 제어 서비스를 제공하고 있으며 스마트 스피커 중심의 비즈니스를 전개하고 있음
(국외) AT&T	모바일 기반 스마트 홈 서비스 Ditgital Life	-스마트폰과 태블릿PC 전용 APP. 으로 홈제어 서비스 제공 -3G 데이터 기반으로 서비스 -시장점유율 낮음	ㅇ3G 통신망 활용으로 제어 속도가 느리며 보안, 온도조절, 도어 잠금 등 생활 기능에만 집중되어 있음
(국내) 삼성전자	Smart Things 아틱(ATIK)	-AI 기반의 화자 인식 기능을 탑재하여 개인화된 서비스 제공 -패밀리허브로 통합서비스 제공	ㅇ국내 점유율 1위 -AI서비스를 적용하고 있는 유사 서비스 -가전 중심의 연결기능강화(자사 제품 위주로만 제공)
(국내) LG전자	스마트홈 플랫폼 Smart ThingQ	-IoT 환경에 최적화된 가전 중심의 제어 서비스 제공 -와이파이가 탑재된 가전	ㅇ국내 점유율 2위 - 가전 중심의 제어 서비스에 집중하고 있음 -App. 중심의 스마트폰 터치제어
(국내) SKT KT LG Uplus	아파트 월패드 기반 홈서비스	-각 통신사의 스마트 스피커와 IoT 기술을 결합한 홈 IoT서비스 전개 중	ㅇ국내 점유율 3위 -스마트스피커 중심의 홈제어 서비스를 제공하고 있음
(국내) 카카오	카카오 i	-통합 AI플랫폼으로 카카오톡과 연결.	ㅇ국내 기업과 제휴단계
(국내) LH건설	서비스명없음	-클라우드 기반 스마트홈 플랫폼 구축 중	ㅇ기술 발전 단계

* (출처 및 근거) 국내외 경쟁기관 기술 현황 비교 분석, 출처 기술정보로드맵('23)

창업 아이템 실현 및 구체화 방안 사례 (Sourced 자체 제작)

성장전략(Scale-Up)

문제를 인식(Problem)하고 이를 해결하기 위해 (예비) 창업자의 아이템이 얼마나 준비되어 있는지, 얼마나 경쟁력이 있는지를 실현 및 구체화 방안(Solution)으로 제시했다면, 이제는 이 창업의 구체적인 비즈니스 모델과 사업을 추진하기 위한 전략, 일정, 재무계획을 수립하여 제시해야 한다. 성장전략(Scale-Up)의 요구사항은 3가지인데, 창업 아이템의 비즈니스 모델 3-1, 창업 아이템의 사업화 추진 전략 3-2, 사업추진 일정 및 자금 운용 계획 3-3이다.

3-1의 비즈니스 모델은 그동안 사업화 계획에 포함되었던 내용이었는데, 2024년 예비창업패키지부터 3-1에서 명확한 주제로 비즈니스 모델의 작성을 요구하고 있으므로 (예비) 창업자들은 3-1을 특별히 신경 써서 작성해야 한다.

사업계획서 서식에서 안내하고 있는 내용은 다음과 같다.

3. 성장전략 (Scale-up)	**3-1. 창업아이템 비즈니스 모델** - 제품·서비스의 수익화를 위한 수익모델 (비즈니스 모델) 등
	3-2. 창업아이템 사업화 추진 전략 - 정의된 목표시장(고객) 확보 전략 및 수익화(사업화) 전략 - 협약기간 내 사업화 성과 창출 목표(매출, 투자, 고용 등) - 목표시장(고객)에 진출하기 위한 구체적인 생산·출시 방안 등 - 협약기간 종료 후 사업 지속을 위한 전략(생존율 제고 전략) 등
	3-3. 사업추진 일정 및 자금운용 계획 - 전체 사업단계 및 협약기간 내 목표와 이를 달성하기 위한 상세 추진 일정 등 - 사업추진에 필요한 정부지원사업비 집행계획 등 - 정부지원사업비 외 투자유치 등 구체적인 계획 및 전략

성장전략 작성 사항 (Sourced 예비창업패키지 서식)

3-1 창업 아이템 비즈니스 모델

사업계획서의 개요에서 비즈니스 모델의 중요성에 대해서 언급했다. 일반적으로 비즈니스 모델은 창업 교육을 통해 사전에 학습한 후에 사업계획서에 적용하는 경우가 많다. 창업 교육을 듣지 못하는 (예비) 창업자가 더 많으므로 만약 그런 경우라면 여러 비즈니스 모델의 사례를 조사하고 분석한 후에 도식화해야 한다.

비즈니스 모델은 알렉스 오스왈드, 예스 피그누어 교수가 제시한 도구로 설명한 바와 같이 경영의 '설계도'로 사용된다. 비즈니스 모델은 시각화된 도구를 통해 채널, 고객 등을 가치 중심으로 묶은 도구이기 때문에 기업을 한눈에 파악하기 쉽다는 장점이 있다. 반면에 외부 환경, 변수 등을 고려하지 않은 도구이므로 실제 실행에 쓰이는 도구는 아니다.

비즈니스 모델은 실행에 사용되는 도구가 아니지만, 기업의 경영, 흐름, 사업운영 구조를 파악하기 쉬운 장점이 있어서 창업 지원사업 사업계획서에서는 비즈니스 모델 작성을 오랜 시간 요구해 왔다. IT 기술이 발달한 이후부터 창업 아이템은 더욱 빠르게 복잡 다변화되고 있으므로 창업 아이템의 구조를 단시간 내에 파악하기 위해서는 비즈니스 모델을 확인하는 것이 필수이다.

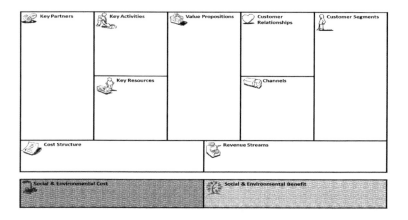

비즈니스 모델 9 Block 양식(성장전략) (Sourced 비즈니스 모델 제너레이션)

비즈니스 모델은 9개의 블록으로 구성되어 있다.

∴ 핵심 관계자, 핵심 활동, 핵심 자원
∴ 고객 관계, 고객 세분화, 채널
∴ 가치제안, 비용 구조, 수익 구조

최근에는 사회적 문제 해결을 위한 창업 아이템이 많아지고 있고 사회적기업, 소셜 벤처 등의 기업이 창업 지원사업에 대거 참여하고 있어서 9 Block에서 2 Block을 더하여 11 Block으로 비즈니스 모델을 표현하기도 한다.

∴ 사회적(환경적) 비용 구조, 사회적(환경적) 수익 구조

비즈니스 모델은 각 블록(Block)이 의미하는 바가 있지만, 사업계획서에서는 각 블록이 의미하는 바를 구체적으로 묻지 않는다. 비즈니스 모델을 도식화하고 이를 사업화 계획, 차별성과 유기적으로 연결하여 작성하였는지를 보기 때문에 (예비) 창업자들은 비즈니스 모델을 사업화 계획, 차별성과 어떻게 유기적으로 연결할 것인가를 깊이 고민해야 한다.

비즈니스 모델은 다양하다. 한 가지의 비즈니스 모델만 존재하는 것이 아니며 우리가 알고 있는 기업들은 모두 비즈니스 모델을 가지고 있다. 비즈니스 모델은 기술이 발전함에 따라 새롭게 만들어

지기도 한다. 따라서 비즈니스 모델을 도식화할 때 전통적인 모델만 참고하지 말고 새롭게 출간되는 비즈니스 모델 서적을 통해 우리 창업 아이템이 어떤 모델에 가까운지를 확인하고 이를 도식화에 적용할 것을 추천한다.

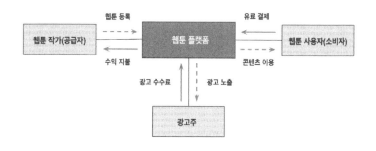

웹툰 플랫폼 비즈니스 모델 사례(성장전략) (Sourced 콘텐츠진흥원)

웹툰 서비스는 이전에 없던 서비스이다. 책으로 만화를 빌려보던 문화에서 플랫폼을 활용하여 소설, 만화를 즐기는 트렌드로 진화하기까지 모바일 플랫폼 기술의 발전이 그 중심에 자리하고 있었다. 많은 수의 콘텐츠 스타트업은 독자적인 플랫폼을 구축하고 웹툰을 포함한 여러 콘텐츠를 중개하기 시작했는데 이러한 비즈니스 모델은 '플랫폼 비즈니스 모델'로 설명될 수 있다.

플랫폼이기 때문에 공급자와 소비자 양자를 중개하는 'Two-sided' 비즈니스 모델로 볼 수 있지만 웹툰 플랫폼은 콘텐츠를 유료로 판매하는 수익과 더불어 광고 수익, 지식재산권(IP) 비즈니스 수익 등 다양한 수익 구조를 보유하고 있어서 '다면형' 비즈니스 모델로 볼 수 있다. (예비) 창업자가 만약 콘텐츠를 중개하는 창업 아이템이라면 일반적인 비즈니스 모델이 아닌 이런 비즈니스 모델을 참고하여 자신만의 비즈니스 모델을 도식화할 수 있다.

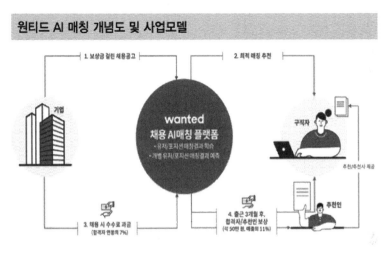

원티드 AI 매칭 개념도 및 사업모델

비즈니스 모델 도식화 사례(성장전략) (Sourced 원티드, IBK)

비즈니스 모델을 도식화하라고 하면 (예비) 창업자들은 2가지 의문점을 갖는다. 수익 구조? 그림을 어떻게 표현해야 하나? 이다. 온라인상에서 비즈니스 모델을 도식화하라고 하면 수익 구조를 그리라고 조언하는 멘토들이 많다. 앞서 살펴본 웹툰 플랫폼의 비즈니스 모델이나 위의 원티드의 비즈니스 모델 예시와 같이 도식화하라는 것이다. 하지만 정확한 의미에서 비즈니스 모델은 수익 구조와는 다르다. 비즈니스 모델은 수익 구조도 포함하는 개념이라 비즈니스 모델이 더 상위의 개념이라 할 수 있다.

하지만 돈이 오가는 구조, 비즈니스가 어떤 흐름(Flow)으로 이어지는지 그림으로 표현하면 창업 아이템에 대한 이해도가 높아지기 때문에 비즈니스 모델을 수익 구조로 표현하는 것도 사업계획서에서는 좋은 방법이다. 다만 비즈니스 모델에 따라서는 수익 구조가 매우 단순할 수 있어서 수익 구조만을 표현한다면 지나치게 단순한 비즈니스 모델로만 표현될 수 있다.

비즈니스 모델 도식화 사례(성장전략) (Sourced 자체 제작)

수익 구조를 표현하는 것도 좋은 방법이지만 핵심 기능이나 서비스를 강조하여 도식화하는 것도 좋은 방법이 될 수 있다. 평가 위원들은 현업에서 여러 비즈니스 모델에 대한 경험이 풍부하기 때문에 수익 구조를 구체적으로 그리지 않아도 사업계획서에 기술된 내용에 근거하여 수익 구조를 대략 파악할 수 있다. 수익 구조를 굳이 표현하지 않아도 된다면 (예비) 창업자가 비즈니스 모델을 통해 창업 아이템의 우수성을 강조할 수 있는 것은 '차별 우위'를 활용하는 방법이다.

창업 아이템의 차별성은 실현 가능성(Solution)의 비교표를 통해 사업계획서에 표현된다. 비즈니스 모델의 도식화에서 표현되는 차별 우위는 경쟁사 대비 차별성이 아니라 제품이나 서비스의 핵심 요소를 아이템 개발에 사용되는 기술과 함께 표현하는 것이다. 차별 우위를 비즈니스 모델로 도식화할 때는 '기술'과 '핵심 기능 또는 핵심 서비스'를 함께 작성하는 것이 좋다.

예를 들어 위의 예시처럼 인공지능을 활용하여 인플루언서를 연결하는 마케팅 플랫폼이 있다고 가정해 보면 해당 아이템의 핵심 기술은 '인공지능(AI) 매칭'이며 핵심 기능은 플랫폼을 통해 제공되는 서비스로 이해할 수 있다. 본 서비스는 '플랫폼' 형태로 서비스되기 때문에 평가 위원들은 플랫폼 비즈니스 모델로 이해하고 평가에 임한다. 도식화된 내용을 보면 인공지능을 통해 번역이나 스케쥴링이 가능하며 인공지능이 적용된 플랫폼을 통해 4가지 핵심 서비스가 제공되고 있다는 것을 볼 수 있다. 평가 위원으로서는 '플랫폼' 비즈니스 모델이 '4가지 핵심 서비스'를 제공한다는 것을 보여주기 때문에 창업 아이템을 직관적으로 이해할 수 있게 된다.

3-1의 비즈니스 모델이 매우 어려울 수 있지만 (예비) 창업자는 수익 모델을 구조화하는 것과 기술을 핵심 기능(서비스)과 함께 도식화하는 것을 기억한다면 비즈니스 모델 작성이 더욱 수월해질 수 있다. 명심해야 할 점은 평가 위원의 이해를 도울 수 있는 직관성이다. 직관적으로 작성된 비즈니스 모델이 좋은 평가를 받을 수 있다.

3-2 창업 아이템 사업화 추진 전략

3-2 창업 아이템 사업화 추진 전략의 안내 문구는 4가지를 포함하고 있다. 사업화 전략, 성과 목표, 시장 진출 방안, 생존율 제고 전략이다. 언뜻 보아서는 4가지 안내 사항이 다른 것 같지만 사실 3-2에서 요구하는 것은 1가지라고 볼 수 있다.

어떻게 사업화할 것이며 어떻게 마케팅할 것인가이다. 생존율 제고 전략도 큰 의미에서는 마케팅 계획이다. (예비) 창업자가 창업한 이후에 어떻게 생존을 할 것인가에 대한 전략을 제시하라는 것인데 기업의 생존은 곧 사업의 성장과 직결된다. 사업이 잘되려면 마케팅을 해야 하고 마케팅을 해야 매출이 성장하여 사업이 유지된다. 큰 의미에서는 마케팅하라는 것인데 그렇다고 3-2에 마케팅 계획만 제시할 수는 없는 일이다. 따라서 저자는 여러 방법이 있지만 3-2의 작성에 참고할 수 있는 2가지 방법을 제시한다.

첫 번째 방법은 단계적인 사업화 추진 전략을 제시하는 방법이다. 2-2 창업 아이템 실현 및 구체화 방안에서 창업 아이템에 대한 개발 방안을 기술하라고 권고했다. 2-2는 사업화 방안으로 '개발·생산'에 초점이 맞추어져 있는 단계적인 사업화 방안이다. 3-2에서 요구하는 사업화 추진 전략은 '판로개척 중심의 사업화 방안'이다. 예를 들어 파치 농산물을 활용하여 건강식품을 만드는 아이템의 경우 2-2의 실현 및 구체화 방안은 건강식품을 만들기 위해 원물을 확보하고, 가공하고 패키징하는 단계적인 접근 방법을 제시하는 것이라 할 수 있다.

3-2 창업 아이템 사업화 추진 전략은 원물 확보와 가공, 패키징, 디자인에만 그치지 않고 완성된 제품을 어떻게 생산하고 판매할 것인지, 이미 확보된 유통 채널이나 판로는 무엇인지 B2C와 B2B, B2G의 관점에서 전략을 제시하는 것이다. 2-2가 생산까지라면 3-2는 생산 이후의 단계라고 볼 수 있다. 2-2에서 마일스톤을 수립하고 생산 이후까지 작성해도 되지만 2-2에서는 제품·서비스의 생산, 개발중심으로 단계를 기술하고 3-2에서는 개발 이후의 판로, 사업 확장 계획에 대해 더욱 무게를 두는 것이 좋다.

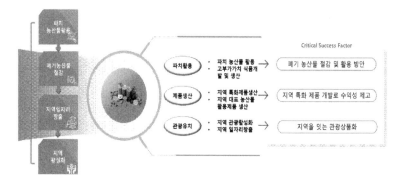

- 1단계 : 파치 농산물 활용한 건강즙 및 티백 상품화
  1차 타겟 : 20-30대 여성용 트렌디한 패키지, ESG, 다이어트, 붓기차, 효소, 독소배출 키워드
- 2단계 : 전국의 파치 과일을 추가한 건강즙 및 티백 상품화
  2차 타겟 : 70대 이상의 실버푸드, 식사대용, 1일영양분섭취, 1일1포, 1일1팩, 천연비타민 키워드
- 3단계 : 전국 파치 농산물을 활용한 애견간식 상품화
  3차 타겟 : 애견들의 기능성 시즌별 제철 맛있고, 트렌디한 디자인의 수제간식 키워드

○ 파치 공급 및 체험공간을 위한 농산지 협력 관계 형성
  - 지역 특산품이지만 상품성이 없어 버려지는 파치를 수급하여 원가 경쟁력 및 재료 수급의 문제점을 원천적으로 해결. 농산물이 생산되는 한 버려지는 파치는 무제한으로 공급받을 수 있음
  - 농장의 상품성 있는 농산물 수확 후, 이를 체험 프로그램 공간으로 활용하여 추가적인 수익을 얻을 수 있는 콘텐츠로 연계가 가능하므로 농가의 협조를 얻을 수 있음

○ 지역을 대표하는 상품으로 관광 및 방문 활성화 효과 견인
  - 지역 고객을 대상으로 체험 프로그램 프로모션 수행하여 지역을 찾는 MZ세대의 방문율 및 방문 횟수를 높일 수 있는 방법을 원천적으로 제시함
  - MZ세대는 SNS에서 트렌드화되고 있는 지역을 방문하고자 하는 특성이 있으며 이를 지역 브랜드 홍보 및 시그니처 제품으로 제시하여 MZ세대가 찾을 수 있는 지역임을 프로모션할 것임
  - SNS를 통해 시그니처 제품 캠페인 수행 (시즌 프로모션)

○ B2B 협업 및 지역 관광자원연계로 브랜드 강화
  - 지역 관광자원과 연계하여 B2B 및 B2C 마케팅을 수행할 것임. 단순 제품 판매에서 그치지 않고 제품 제작 과정 및 제작 동기, 체험 프로그램 개발 과정 등을 모두 하나의 콘텐츠로 연결하여 지역 관광자원과 연계된 브랜딩으로 발전시킬 것임

창업 아이템 사업화 추진 전략 사례(성장전략) (Sourced 자체 제작)

같은 말을 반복하는 것 같지만 생산까지의 단계와 생산 이후의 단계는 엄연히 구분된다. 제품·서비스를 개발하는 단계에서의 차별

성은 기술, 디자인, 소재 등에 따라 달라지지만, 개발 이후의 차별성은 사업화 전략, 판로개척 전략에 따라 달라진다.

두 번째 방법은 마케팅 전략에 따라 시장 진입 방안을 제시하는 것이다. 시장 진입 방안을 제시하는 방법은 여러 가지 방법이 있는데 저자는 3가지 방법을 제안한다. 3가지 방법 중 자신의 아이템과 적합하다고 판단되는 방법을 선택하면 된다.

∴ 단계적인 마케팅 전략

∴ 온·오프라인 마케팅 전략

∴ B2C, B2B, B2G 마케팅 전략

단계적인 마케팅 전략은 말 그대로 단계적으로 수행하기 위한 마케팅 전략을 제시하는 것이다. 마케팅은 창업 아이템에 따라 전략을 달리하고 고객과 시장에 따라 다양한 도구를 활용하여 소비자를 공략한다. 모든 창업 아이템은 사실 단계적인 마케팅 전략을 사용해야 하지만 사업계획서에서만큼은 해법이 다를 수 있다. 아이템에 따라 3가지 방법 중 적합한 전략을 사용하면 되며 평가 위원 경험상 이론적인 전략의 제시보다는 창업 아이템에 적합한 마케팅 실행계획을 실무적으로 작성한 아이템이 좋은 평가를 받았다.

창업 아이템 사업화 추진 전략 사례(성장전략) (Sourced 자체 제작)

기업의 마케팅 전략은 프로모션처럼 특정 시기에 집중시킬 수 있지만, 기간을 두고 캠페인처럼 운용되는 것이 일반이다. 사업계획서에서 요구하는 마케팅 계획은 이런 단계적인 접근이 좋은데 그 이유는 계획이 수립되었다면 한 단계씩 실행해보고 소비자 피드백을 지켜보면서 마케팅 전략을 조정해나갈 수 있기 때문이다.

단계적인 마케팅 전략은 홍보 채널과 무관하며 온·오프라인 전략을 혼합하여 제시하면 된다. 다만 마케팅 전략을 제시할 때 3~4단계로 구체적인 마케팅 방법(ex. 네트워크 마케팅)을 제시하는 것이 좋고 기간을 표시하는 것은 추천하지 않는다. 협약 기간 내 사업추진 일정에서 마케팅 달성 목표와 기간을 작성하기 때문에 마케팅을 통해 얻을 수 있는 성과는 3-3 에 기술하면 된다.

브랜드 홈페이지

| 홈페이지
구축 | 소셜미디어
구축 | 숏폼영상
확산 |

- 브랜드 홈페이지 구축하여 폐의약품 수거 서비스에 대한 소개 및 서비스 안내
- 소비자 친화적인 챗봇으로 구현하여 애플리케이션 구동 전 소비자 확보

- 소셜미디어 공식 채널 구축으로 폐의약품 폐기 방법에 대한 콘텐츠 제공
- 브랜드 인스타그램을 통해 폐의약품 환경오염 심각성 안내, 인플루언서를 통한 홍보 수행

- 숏폼 동영상을 활용하여 폐의약품 수거 콘텐츠 업로드
- 애플리케이션을 활용하기 위한 가이드 영상 업로드

목표시장 진출 방안

○ 1단계 : 브랜드 홈페이지 구축
 - 크몽을 이용한 홈페이지 제작 업체 선정
 - 필수 항목 정리 (잘못된 폐의약품 폐기가 환경에 미치는 영향, 우리 어플을 사용하면 좋은 이유등)
 - 1차 홈페이지 시안 검토 및 누락 부분 수정 요청
 - 최종 확인 후 홈페이지 오픈

창업 아이템 사업화 추진 전략 사례(성장전략) (Sourced 자체 제작)

단계적인 마케팅 전략만큼 많이 사용되는 방법은 온·오프라인으로 구분하여 마케팅 계획을 제시하는 방법이다.

온라인과 오프라인을 구분하여 마케팅을 수행하는 계획은 평가위원으로 하여금 두 채널에 대한 명확한 계획이 수립되었다는 이미지를 심어준다. 예비창업패키지에 지원하는 창업 아이템은 아직 실현되지 않은 아이디어 단계의 아이템이다. 시제품이 만들어졌다 하더라도 테스트해야 하고 소비자의 반응에 따라 온라인과 오프라인을 동시에 공략해야 한다. 온·오프라인 마케팅 전략을 수립했다는 뜻은 (예비) 창업자가 그만큼 판로개척을 고민했다는 의미이기 때문에

191
Part 2 한 번에 합격하는 사업계획서 작성 전략

목표시장 진출 방안

○ 1단계 : 브랜드 홈페이지 구축
 - 크몽을 이용한 홈페이지 제작 업체 선정
 - 필수 항목 정리 (잘못된 폐의약품 폐기가 환경에 미치는 영향, 우리 어플을 사용하면 좋은 이유등)
 - 1차 홈페이지 시안 검토 및 누락 부분 수정 요청
 - 최종 확인 후 홈페이지 오픈

창업 아이템 사업화 추진 전략 사례(성장전략) (Sourced 자체 제작)

단계적인 마케팅 전략만큼 많이 사용되는 방법은 온·오프라인으로 구분하여 마케팅 계획을 제시하는 방법이다.

온라인과 오프라인을 구분하여 마케팅을 수행하는 계획은 평가위원으로 하여금 두 채널에 대한 명확한 계획이 수립되었다는 이미지를 심어준다. 예비창업패키지에 지원하는 창업 아이템은 아직 실현되지 않은 아이디어 단계의 아이템이다. 시제품이 만들어졌다 하더라도 테스트해야 하고 소비자의 반응에 따라 온라인과 오프라인을 동시에 공략해야 한다. 온·오프라인 마케팅 전략을 수립했다는 뜻은 (예비) 창업자가 그만큼 판로개척을 고민했다는 의미이기 때문에

191
Part 2 한 번에 합격하는 사업계획서 작성 전략

사업화 방안에서 이 전략은 충분히 좋은 방법일 수 있다.

- 유관기관/오프라인 마케팅 수행
 (1) 지역 초등학교 및 유관기관을 통한 홍보 마케팅 수행
 (2) 마을별, 지역별 축제 참여 및 체험단 운영

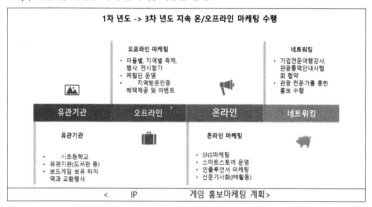

창업 아이템 사업화 추진 전략 사례(성장전략) (Sourced 자체 제작)

　이미 사업화가 진행된 아이템으로 초기창업패키지나 창업도약패키지에 지원하는 경우에도 온·오프라인 마케팅 전략은 매우 효과적인 방법이 될 수 있다. 기업은 제품을 마케팅할 때 통합 마케팅 전략(IMC)에 따라 마케팅을 수행하게 되는데 통합 마케팅 전략에서는 채널을 온라인과 오프라인으로 구분하여 마케팅을 수행하게 된다. 초기 단계, 도약 단계의 기업은 제품·서비스를 판매하여 매출을 증대시켜야 하므로 온·오프라인 전략 수립은 지원사업 용도이기도 하지만 실제로 마케팅을 수행하기 위한 전략에도 해당한다.

□ 온라인
(1) 1단계 : SNS 자사 계정을 통해 서비스 운영
(2) 2단계 : 지역 맘 카페 홍보
(3) 3단계 : 블로그 체험단 배포하여 홍보

□ 오프라인
(1) 1단계 : 소상공인 대면으로 MOU 체결
(2) 2단계 : 중소기업유통센터, 공공기관과 협업
(3) 3단계 :   및 국내 기업과 MOU 체결
          (일가정양립, 일환경개선사업과 연계)

창업 아이템 사업화 추진 전략 사례(성장전략) (Sourced 자체 제작)

온·오프라인으로 구분하여 마케팅 전략을 제시할 때 기법이나 도구, 채널의 항목만 나열해서는 안 된다. 구체적인 실행 내용이 제시되어야 하고 가능하다면 어떻게 실행할 것인지, 채널을 통해 어떤 효과를 얻을 것인지도 함께 기술하는 것이 좋다.

3-2 창업 아이템 사업화 추진 전략을 보면 목표 시장에 진출하기 위한 구체적인 방안을 적으라고 언급하고 있다. 최근 들어 3-2에 대한 접근에 있어서 (예비) 창업자들은 '목표 시장'에 조금 더 집중하는 경우가 많은데 제품·서비스가 목표 시장에 따라 전략을 달리하는 경우 세 번째 B2C, B2B, B2G 전략을 생각해볼 수 있다.

3-2. 창업아이템 사업화 추진 전략

○ **시장 진입 전략**

□ 국내 B2B 진입 전략	□ 국내 B2C 진입 전략
- 노인요양병원 - 요양원, 병원 납품	- 크라우드 펀딩 - 자사몰 판매(홈페이지, 스마트스토어) - 농협몰, 홈플러스, 이마트 입점
□ 국내 B2G 진입 전략	□ 해외 진입 전략
- HACCP 등록 - 조달청 등록 후 행정복지센터 납품	- 수출플랫폼 바이오 코리아 등록 - 해외 아마존 셀러 등록

○ **시장 진출 및 판매 전략**

- 제품 브랜딩 및 크라우드 펀딩을 통한 구매자 계층(MZ) B2C 고객 타겟팅
- 지역 우수제품 특별판촉 및 롯데 아울렛 여성기업 판매전 참가
-       산업장려관 전시회 및 수권 박람회 부스 지원 및 참가
-       기업제품 전시 판매전 및   농촌사랑 플랫폼 입점 및 참가
- 동행축제 연계   중소기업 우수제품 판매 참가
- 자사몰(스마트스토어) 판매를 통한 매출
- B2B (   ) 초기고객 확보

창업 아이템 사업화 추진 전략 사례(성장전략) (Sourced 자체 제작)

사업화 추진 전략은 타겟 시장에 어떻게 진입할 것인가에 대한 시장 진입 전략, 시장 창출 전략이다. 마케팅 전략을 제시하는 것으로도 충분할 수 있지만, 아이템에 따라 타겟 시장에 따라 전략을 달리해야 할 경우 사업화 추진 전략은 B2C, B2B, B2G를 구분하여 전략을 제시하는 방법이 효과적이다.

고객을 대상으로 하는 B2C(Business To Consumer) 전략은 구체적인 마케팅 전략이 좋다. 실제 수요층이 있는 온라인 채널(인스타그램, 쿠팡 등)을 활용하여 마케팅 실행 내용을 언급하는 것이 좋으며 기업을 대상으로 하는 B2B(Business To Business) 전략은 판로에 해당하는 구체적인 기업/기관을 언급하는 것이 좋다. 기업을

대상으로 하는 비즈니스의 경우 네트워크 마케팅이나 박람회와 같은 전략도 효과적이기 때문에 B2B 전략은 오프라인 전략도 효과적이다. 기관을 대상으로 하는 B2G(Business To Government)의 경우 국내에서는 입찰과 연결되는 경우가 많아 조달청 입점 전략이나 인증 취득, 권리화, 입찰 제안 등을 기술하는 것이 효과적인 방법이다.

1) B2G & B2B
 - 창업진흥원 (로컬크리에이터 지원·협력 사업)
 - 공공기관 (서울,경기,지자체 지원·협력 사업)
 - 일반기업(민간 프로젝트, 공연, 버스킹 공연 등 협업)
 - 굿즈, 의상 및 소품 협찬
 - 예술기관(예중·예고 졸업 작품, 지원 영상 협업)
 - 복지센터(시니어 대상 문화 교육 복지 프로젝트)
3) B2C
 - 재외 동포 및 국내 방문 외국인 대상(단기 체험 프로젝트)
 - 크라우드 펀딩 및 공연 후원
 - 장소 대관 협찬

창업 아이템 사업화 추진 전략 사례(성장전략) (Sourced 자체 제작)

B2C, B2B, B2G로 마케팅 전략을 제시할 때도 앞서 온·오프라인

마케팅 전략과 같은 오류를 범해서는 안 된다. 비즈니스의 대상이 되는 기업이나 기관명만 언급하는 경우 구체적인 실행 계획을 확인할 수 없다고 판단될 수 있어서 마케팅 전략을 제시할 때는 구체적인 실행 계획, 내용을 반드시 추가해야 한다.

3-1에서 창업 아이템의 비즈니스 모델로 창업 아이템의 비즈니스 구조와 수익 모델을 제시했다면 3-2에서는 창업 아이템의 사업화 전략을 보기 위해 마케팅 전략을 제시한다. 3-2는 마케팅 전략만을 의미하는 분야가 아니다. (예비) 창업자에 따라 3-2에서 고객 확보 전략을 제시하기도 하며 생존율 제고 전략을 제시하기도 한다. 이름은 다르지만 3-2에서 요구하는 것은 개발된 제품·서비스를 어떤 사업화 전략으로 안정적인 기업을 운영할 것인가에 대한 대답이다.

3-3 사업추진 일정 및 자금 운용 계획

기업을 운영하기 위한 전략이 있다면 이 전략을 추진하기 위한 구체적인 일정표가 수립되어야 한다. 그리고 일정표에 따른 예산이 수반되어야 한다. 3-3 사업추진 일정 및 자금 운용계획은 3-2까지 제시된 창업 아이템을 실제 사업으로 실현하기 위한 세부적인 일정의 작성과 목표, 예산표를 요구한다.

3-3에서 요구하는 것은 크게 4가지로 구분할 수 있다.
3-3-1에서는 사업 전체의 로드맵과 추진일정표 작성을 요구하며,

3-3-2에서는 협약 기간 내의 목표와 달성 방안을 작성해야 한다.

3-3-3은 정부 지원사업비의 집행계획과 예산표를,

3-3-4에서는 자금의 필요성과 조달 계획을 요구한다.

3-3. 사업 추진 일정 및 자금운용 계획
3-3-1. 사업 전체 로드맵

o 폐의약품 수거 사업에 대한 전체 로드맵
 - 인허가 획득 : 폐의약품을 수거 할 수 있도록 관련 기관에 폐의약품 수거 사업자 허가신
   청을 한 후 폐의약품 전문 수거 사업자로 사업 전개
 - 홈페이지 개발 : 어플리케이션과 마찬가지로 최대한 쉽게 이용할 수 있고 심플하게 홈페
   이지를 구축하여 공신력 제고
 - 어플리케이션 개발 : 어플리케이션을 구동과 튜토리얼을 제작하여 쉽게 어플리케이션을
   사용할 수 있도록 개발, 사용자 친화적인 UI/UX로 애플리케이션 개발
 - 어플리케이션 테스트 및 모니터링 : 소비자가 폐의약품서비스를 잘 이용하는지 반응을 살
   핀 후 지자체 폐기물 수거 지원금, 광고 수익, 협업 등 발생한 수익으로 어플리케이션을
   고도화.
 - 지자체 및 지역 병원과 수거 협업 : 보통 지역 병원이나 약국에 직접가서 폐의약품을 폐
   기해야 하지만 지역병원과 협업하여 거동이 불편하거나 편리함을 원하는 소비자에게 직
   접 찾아가 폐의약품을 수거

< 사업 추진 일정(전체 사업단계) >

순번	추진 내용	추진 기간	세부 내용
1	인허가 획득	24년 상반기	폐의약품을 수거 및 사업을 할 수 있게 정부에 허가신청
2	홈페이지 개발	24년 상반기	어플리케이션과 마찬가지로 최대한 쉽고 편리하게 이용할 수 있도록 홈페이지 구축
3	어플리케이션 개발	25년 하반기	어플리케이션도 손쉽게 사용가능하고 튜토리얼을 만들어 어떻게 사용하는지 알려줌
4	어플리케이션 테스트 및 모니터링	25년 하반기	소비자가 어플리케이션을 많이 잘 이용하고 있는지 확인하고 그에 맞게 업그레이드를 한다
5	지자체 및 지역 병원과 수거 협업	26년 상반기	지역병원과 협업하여 거동이 불편하거나 편리하게 폐의약품을 버리고 싶은 소비자에게 서비스를 제공

창업 아이템 사업추진 일정 사례(성장전략) (Sourced 자체 제작)

평가 위원으로서 있는 그대로 이야기하자면 사업계획서 전체에서 3-3이 차지하는 비중이 그리 높지 않다. 추진 일정과 계획표, 예산은 매우 중요한 것인데 비중이 높지 않다는 뜻은 어떤 의미일까. 중요성이 낮다는 것이 아니라 평가 위원들이 날카롭게 평가하는 부분은 아니라는 뜻이다. 평가 위원들이 추진 일정과 계획을 이유로 탈락시키는 이유는 많지 않지만 대개 일정이 터무니없거나 산출물이 허무맹랑할 때, 지나치게 개략적으로만 사업계획을 작성했을 때 상대적으로 낮은 점수를 부여한다. (예비) 창업자가 아무 생각 없이 추진계획을 수립하고 사업계획서를 작성할까? 아마도 그런 (예비) 창업자는 없을 것이다.

사업 전체 로드맵은 6개월 ~ 1년 이내의 단기적인 계획이 아니라 창업 아이템의 중장기 사업추진 일정을 작성해야 한다. 일반적으로 3년 정도의 계획을 작성하여 제출하는 (예비) 창업자가 많다.

사업추진일정표를 먼저 작성한 후에 4~5가지 추진 세부 내용을 항목에 따라 제시하는 것을 추천한다. 굵직한 추진 내용을 4~5가지 추려서 사업추진일정표에 우선 기재하는 것이 좋고 추진 기간 및 세부 추진 내용은 창업 아이템의 사업화 계획에 맞게 기술하면 된다. (예비) 창업자들이 가장 많이 범하는 오류는 기간을 짧게 잡는 것인데 제품·서비스 개발 기간은 넉넉히 잡는 것이 좋다. 개발해야 할 제품이나 서비스가 많은 경우 제품과 서비스를 구분하여 1년의 기간으로 4~5개년 추진 일정을 제시해도 괜찮다.

3-3-1. 사업 전체 로드맵

○ 커피박 업사이클링 굿즈 사업 로드맵
- **기업 홈페이지 개발** : 기업 홈페이지를 개설하여 기업 목표, 판매 상품 설명 및 구매 사이트 구축. 지역 카페 물색 후 협업하여 커피박 출처 게시.
- **커피박 업사이클링 상품 개발** : 커피박을 업사이클링 하여 캔들 및 생활용품 제작 및 판매. 커피나 캔들에 관심이 많은 젊은층과 그린슈머 타겟으로 SNS프로모션 수행
- **제작 키트 및 체험활동 개발** : 직접 제작할 수 있는 DIY 상품 제작과 판매 또는 오프라인에서 참여형 제작 상품 개발
- **친환경 제품을 활용한 홍보 및 개발** : 친환경 제품을 내세워 홍보, 친환경 인증 마크를 승인 받아 지자체 및 정부운영 제도에 인증제품 사용 혜택, 공공기관의 의무구매 활용
- **협업 카페 굿즈 제작 개발** : 커피박을 수거한 카페에 커피박으로 만든 제품을 유통 판매. 카페 로고 인쇄 등 콜라보 제품 오프라인 판매 및 홍보 효과

〈 사업 추진 일정(전체 사업단계) 〉

순번	추진 내용	추진 기간	세부 내용
1	홈페이지 제작	24년 상반기	사이트 구축과 협업카페 선정
2	캔들 및 굿즈 개발	24년 상반기	캔들 전문가와 디자인 및 성분 개발
3	친환경 인증 마크 승인	25년 상반기	친환경 인증 서류 제출 및 승인
4	프로모션 페이지 구축	25년 상반기	커피박 캔들 프로모션 SNS 구축
5	온오프라인 홍보 및 판매	26년 하반기	온라인 판매 및 협업카페 유통판매

창업 아이템 사업추진 일정 사례(성장전략) (Sourced 자체 제작)

사업추진 일정을 제품·서비스로만 작성하지 않아도 된다. 단일 제품이나 서비스의 경우 홈페이지 제작, 인증 등과 같이 핵심 판로개척 목표나 인증 취득, 성능 검증 등을 사업추진일정표에 기술해도 된다. 추진 내용을 작성했다면 세부 내용은 성과나 산출물에 관해서 기술하는 것이 좋다. 사업을 추진했다면 사업추진에 따라 결과물이 나오게 되는데 3-3-1에서는 이런 산출물, 사업추진의 결과를 추진 내용과 함께 설명해주면 평가 위원이 사업의 흐름을 이해하기 쉽다.

3-3-2. 협약기간(' 24.04 ~ '24.12) 내 목표 및 달성 방안

○ 소비자 선호도 조사 및 협업 카페 선정
- 커피 소비자, 그린슈머 선호도 조사를 통해 상품 개발
- 협업 카페 20곳을 선정하여 정기적인 커피박 수거 서비스
- 1차년도 달성 과제로 시그니처 캔들 및 굿즈 개발하여 품평회 진행

○ 친환경 인증 제품 승인 및 프로모션, 판매 수행
- 캔들 개발과 함께 다양한 커피박 활용 친환경 제품 제작. 친환경 인증마크 승인을 위한 서류 및 성분, 제작 과정 틀 구축
- 커피박을 활용한 친환경 제품 인증 캔들 및 체험 키트를 이용하여 흥미 유발, 신제품 예약 구매자 50명

〈 사업 추진 일정(협약기간 내) 〉

순번	추진 내용	추진 기간	세부 내용
1	제품 개발	24.05 ~ 24.08	캔들 성분 및 디자인 개발
2	홈페이지 개설	24.07 ~ 24.09	홈페이지 관리자 인력 선발
3	협업 카페 선정 (20곳)	24.07 ~ 24.10	지역 카페 방문 및 상담
4	상품 홍보 및 판매	24.10 ~ 24.12	온오프라인 홍보 및 상품 판매
5	신제품 예약 고객 50명	24.08 ~ 24.12	캔들 사용 이용 고객

협약 기간 내 목표 달성 방안 사례(성장전략) (Sourced 자체 제작)

3-3-1은 사업 전체의 추진 일정이기 때문에 거시적으로 작성되는 경우가 많다. (예비) 창업자에게 사업추진 일정은 아직 도래하지 않은 미래의 일을 예측하여 작성하는 것이기 때문에 사실 대부분의 3-3-1 사업추진 일정은 아무리 구체적이어도 목표 위주로 이정표만 작성된다. 저자가 강의할 때 3-3-1에 대해서는 원대하게, 실행 가능한 선에서 성장성이 보이도록 작성하라고 말한다. 구체적인 수치를 작성하기보다 정성적으로 작성하라고도 말하는데 이유는 3-3-2 때문이다.

예비창업패키지의 경우 3-3-2가 실제 수행 목표에 해당한다. 3-3-1은 협약 기간인 1년을 넘어서는 계획이기 때문에 지원사업과 무관한 계획이지만 3-3-2는 협약 기간 내의 목표이기 때문에 (예비) 창업자는 3-3-2에서 제시한 내용을 협약 기간 내에 꼭 달성해야 한다. 따라서 3-3-2는 정량적인 수치로 목표를 제시하는 것이 좋으며 정량적인 수치이기 때문에 허무맹랑한 수치가 아니라 반드시 달성 가능한 수치를 보수적으로 제시하는 것이 좋다.

협약 기간 내에 달성할 목표는 임의로 제시해도 될까?

아니다. 협약 기간 내에 달성할 목표는 2-2 창업 아이템의 실현 및 구체화 방안에서 제시한 내용, 3-2 창업 아이템의 사업화 추진 전략에서 기술한 내용과 연결되어야 한다. 전혀 다른 목표가 아니라 창업 아이템이 개발되었을 때와 사업화를 추진하면서 달성할 수 있는 목표여야 한다.

3-3-2. 협약기간('24.04 ~ '24.12) 내 목표 및 달성 방안

o 협약기간 내 상품 출시 및 수익화, 투자 유치 기반 마련

- 협약기간 내 시그니처 상품 개발 완료 및 출시
- 인스타그램 및 유튜브, 포털 커뮤니티를 통한 직접적인 매출 발생
- 체험단-구매로 이어지는 사전 판매 방식으로 조기 수익 창출
  (여행, 지역관광, 먹킷리스트, 맘카페 등 활용)
- 체험 키트 및 체험프로그램 개발(협약기간 내 : 프로토타입 제작 및 체험단 평가)

< 사업 추진 일정(협약기간 내) >

순번	추진 내용	추진 기간	세부 내용
1	원료 구입	24.05	지역 재배 농가 수매
2	시그니처 상품 시제품 제작	24.03 ~ 24.06	지역 제과 업체 협업
3	장류 공정 확립	24.05 ~ 24.07	장류 제조 농가 협업
4	시제품 품평회	24.07	품평회 진행 및 미흡부분 보완
5	제품 디자인 개발	24.08 ~ 24.09	제품 패키지 디자인 용역 진행
6	체험 키트 설계	24.08 ~ 24.10	외주 설계 및 프로토타입 제작
7	체험프로그램 개발	24.10 ~ 24.12	전문가 구성 체험단 진행 및 보완
8	시그니처 상품 출시	24.12	제품 홍보 및 판매

협약 기간 내 목표 달성 방안 사례(성장전략) (Sourced 자체 제작)

3-3-2를 작성해보면 어느 정도의 수치가 적합하냐는 질문을 많이 받는다. 지나치게 보수적이면 평가 위원으로부터 물론 지적받을 수 있다. 하지만 도전적인 지표로 작성하는 경우 성과를 달성하지 못했을 때 성과 미달로 문제가 될 수 있다. 정량적인 수치를 제시하는 것이 물론 좋지만, 정량적인 수치를 제시할 때는 보수적으로 제시하는 것을 권고한다. 만약 정량적인 수치가 아니라 정성적인 내용으로 제시한다면 기간 내 달성할 내용은 사업화 추진계획을 참고하여 작성하는 것이 좋다.

다만 (예비) 창업자는 광의나 모호한 표현은 피해야 한다. 예를 들어 홈페이지를 구축하겠다고 기술했다면 실제로 홈페이지를 구축하여 결과물을 증빙해야 한다. 하지만 홈페이지 구축이란 단어의 의미는 광범위하다. 어느 정도 금액의 홈페이지인지도 명확하지 않고, 어떤 환경에서 구축된 홈페이지인지도 명확하지 않다. 반응형인지 아닌지, 템플릿화된 것인지 아닌지 표현 자체가 모호하기 때문에 (예비) 창업자는 이런 모호한 표현이나 광의의 의미를 담을 수 있는 것보다 범위를 한정하여 목표를 제시하는 것이 좋다.

홈페이지를 구축한다고 하면 홈페이지형 블로그라고 세부 내용을 기술하거나 설명에 주석을 가해야 한다. 반응형인지, 템플릿인지 혹 온라인 쇼핑몰이라면 어떤 플랫폼을 사용하는지 작성하면 협약 기간 내 달성될 목표가 조금 더 구체적으로 제시되어 (예비) 창업자의 목표 달성에 대한 부담을 덜 수 있다.

3-3-1은 지원사업의 범위를 넘어서는 계획이기 때문에 다소 도전적이고 미래지향적인 계획을 작성해도 되지만 3-3-2는 지원사업의 범위 내에서 달성할 목표를 제시해야 하므로 꼭 달성 가능한 만큼만 목표를 제시하고 설명해야 한다. 지원이 절실하여 무리하게 3-3-2를 작성하는 (예비) 창업자가 있는데 3-3-2만큼은 이성적으로, 현실적으로 작성할 것을 권고한다.

3-3-2에 고용 계획을 포함하면 좋은 점수를 받지 않을까?

< 사업추진 일정(협약기간 내) >

순번	추진 내용	추진 기간	세부 내용
1	필수 개발 인력 채용	00.00 ~ 00.00	OO 전공 경력 직원 OO명 채용
2	제품 패키지 디자인	00.00 ~ 00.00	제품 패키지 디자인 용역 진행
3	홍보용 웹사이트 제작	00.00 ~ 00.00	웹사이트 자체 제작
4	시제품 완성	협약기간 말	협약기간 내 시제품 제작 완료
...			

협약 기간 내 목표 달성 방안 표(성장전략) (Sourced 예비창업패키지 서식)

아니다. 3-3-2의 안내 문구나 예시에 인력 채용에 대한 예시가 있고, 고용에 대한 평가 위원의 가중치가 있다는 잘못된 소문에 많은 (예비) 창업자가 3-3-2에 고용에 대한 목표를 제시한다. 실제 평가에서는 고용 계획을 포함했다고 좋은 점수를 주고, 고용 계획이 없다고 점수를 나쁘게 주지 않는다. 고용 계획은 말 그대로 고용 계획일 뿐, 고용 계획을 협약 기간 내에 포함했다고 평가에서 유리한 것은 아니다.

지원금으로 인건비를 지급할 수 있으니 대부분의 (예비) 창업자가 고용인원을 목표로 제시한다. 대부분 1명 내외의 인원을 목표로 제시하는데 2명이나 3명이 된다고 해서 평가에서 유리하지 않으며 오히려 고용인원이 많은 경우 평가 위원으로부터 채용 인원의 적절성이나, 사업추진 계획과 연관성을 이유로 지적을 받을 수 있다. 지원금이 한정적인데 채용 인원이 많다면 평가 위원으로부터 사업화 계획도, 목표 수립의 적절성도 미흡한 것으로 평가받을 수 있다.

3-3-3 정부 지원사업비 집행계획은 예산표로 불리는 예산계획이다.

3-3-3. 정부지원사업비 집행계획

※ 자금 필요성, 금액의 적정성 여부를 판단할 수 있도록 정부지원사업비 집행계획 기재
 * 사업 운영 지침 및 사업비 관리기준 내 비목별 집행 유의사항 등에 근거하여 기재
※ 사업비 집행계획(표)에 작성한 예산은 선정평가 결과 및 제품·서비스 개발에 대한 금액의
   적정성 여부 검토 등을 통해 차감될 수 있으며, 신청금액을 초과하여 지급할 수 없음

o

-

< 정부지원사업비 집행계획 >

※ 정부지원사업비는 최대 1억원 한도 이내로 작성

비 목	산출 근거	정부지원사업비(원)
재료비	• DMD소켓 구입(00개×0000원)	3,000,000
	• 전원IC류 구입(00개×000원)	7,000,000
외주용역비	• 시금형제작 외주용역(OOO제품 … 플라스틱금형제작)	10,000,000
지급수수료	• 국내 OO전시회 참가비(부스 임차 등 포함)	1,000,000
…		
합 계		--

정부 지원사업비 집행계획 안내(성장전략) (Sourced 예비창업패키지 서식)

창업이 처음인 (예비) 창업자나 이런 예산표를 다루어 본 적이 없는 청년 (예비) 창업자들에게 3-3-3은 매우 어려운 분야로 보일 수 있다. 하지만 3-3-1같이 3-3-3 정부 지원사업비 집행계획은 평

가 위원들이 그리 날카롭게 평가하는 분야는 아니다. 집행계획은 사업운영지침 및 사업비 관리기준에 따라 작성되어야 하므로 작성 단계에서 (예비) 창업자들은 이 지침과 기준을 고려하여 작성하게 된다.

(예비) 창업자들의 고민은 잘 작성했는지, 혹시 잘못 작성하여 불이익을 받을 수 있는지 여부인데 이 고민은 의미 없는 고민일 수 있다.

만약 정부 지원사업비의 적정성 여부를 검토하여 지원금액이 1억에서 5천만 원으로 변경되는 경우 어떻게 될까? 이 경우 협약 단계에서 정부 지원사업비가 얼마나 차감이 되는지, 어떻게 조정이 되었는지 주관 기관에서 (예비) 창업자에게 안내한다.

만약 선정된 (예비) 창업자가 선정 단계에서 평가 위원으로부터 일부 사업비 비목에 대해 조정을 권고받았다면 어떻게 될까? 협약 단계에서 비목을 조정한 후 협약을 맺는다.

상황은 다르지만 여러 경우에 협약 단계에서 주관 기관과 선정자인 (예비) 창업자가 조정하여 협약을 맺는다는 의미이다. 그렇다면 (예비) 창업자가 사업계획서 작성 단계에서 신경 쓸 것은 한 가지이다. 정부 지원사업비 한도 내에서 기준에 따라 비목을 작성하고, 산출 근거와 사업비를 잘 기재하는 것이다.

모든 금액에 대해 견적서를 미리 받아두어야 할까? 아니다. 산출 근거 예시로 계산식이 있어서 견적서를 받아야 한다고 생각될 수 있지만, 사업계획서에서는 견적서를 별도로 요구하지 않는다.

산출 근거에 대해서 구체적인 계산식을 모두 제시해야 할까? 제시하면 물론 좋다. 하지만 아주 구체적으로 제시한다고 해서 유리하지 않고, 간단한 계산식으로 제시한다고 해서 불리하지 않다. 산출 근거를 구체적으로 제시하면 잘 조사하고 준비하였다는 인식을 심어줄 수 있지만 평가 위원의 관점에서 구체적인 계산식까지 평가에 반영하지 않는다. 다만 지나치게 일부 비목으로 집중이 되었다거나 고가의 장비를 구매하는 경우 등 지침에 어긋나는 경우를 평가 위원은 지적한다.

< 정부지원사업비 집행계획 >

비 목	산출근거	정부지원사업비(원)
재료비	• 시제품 개발용 원재료(1kg x 10,000원 x 200kg)	2,000,000
	• 시그니처 상품 개발 부재료	2,000,000
외주용역비	• 체험 키트 개발	10,000,000
	• 포장 디자인 개발	5,000,000
	• 시그니처 상품 제조	5,000,000
기계장치	• 반죽기	3,000,000
	• 오븐기	7,000,000
	• 핸드믹서	200,000
광고선전비	• 홍보용 웹사이트 개발 비용	5,000,000
	• 블로그, 인스타 등 SNS홍보비	20,000,000
특허권 등 무형자산 취득비	• 특허 출원비	2,000,000
	• 상표권 출원비	1,000,000
지급수수료	• 멘토링비	2,000,000
	• 기술이전비	4,000,000
	• 사무실 임대료(35만) * 8개월	2,800,000
인건비	• 200만(제품 개발 및 홍보 1명) * 7개월	14,000,000
	• 200만(프로그램 기획 및 운영 1명) * 7개월	14,000,000
여비	• 국내여비	1,000,000
합 계		100,000,000

정부 지원사업비 집행계획 예시(성장전략) (Sourced 자체 제작)

위의 예시는 비목에 따라 산출 근거와 정부 지원사업비를 제시하고 있다. 계산식이 보이는 비목은 재료비, 지급수수료, 인건비 정도인데 실제 대부분의 사업계획서에서 재료비나 외주 용역비, 지급수수료나 인건비 등에 계산식을 제시하는 경우가 많고, 대부분 비용은 대략적인 산출 내용만 제시한다.

3-3-3. 정부지원사업비 집행계획

○ 1차년도 사업 수행을 위한 자금 소요 계획
- 외주 용역비 : 벽지 구매 및 인쇄
- 인건비 : 벽지 개발자 1명, 브랜딩 및 마케터 1명
- 기계 장치비 : uv 디지털 잉크젯 프린터
- 여비 : 경쟁사 기업탐방 및 박람회 참관비 (국내 식품, 여행 박람회 등)
- 지급수수료 : 세미나, 컨퍼런스 참여 등
- 마케팅비 : 웹사이트 구축 및 초기 프로모션 비용 등

< 정부지원사업비 집행계획 >

비 목	산출근거	정부지원사업비(원)
외주용역비	• 벽지 구매 및 인쇄	25,000,000
기계장치	• uv 디지털 잉크젯	30,000,000
인건비	• 프로그램 개발자, 브랜딩 및 마케터	35,000,000
여비	• 기업탐방 벤치마킹, 박람회	2,000,000
지급수수료	• 세미나, 컨퍼런스 참여	1,000,000
마케팅비	• 기업홍보	2,000,000
	• 영상제작, 온라인마케팅	5,000,000
합 계		100,000,000

정부 지원사업비 집행계획 예시, 서비스 아이템(성장전략) (Sourced 자체 제작)

예비창업패키지는 1억 원을 한도로 지원하는 사업이다. 정부 지원사업비의 금액이 총 1억 원이라는 의미인데 정부 지원사업비 총액은 1억 원에 맞추어 작성할 것을 권고한다. 실제 필요한 금액이 1억 원 미만이면 거짓으로 1억 원을 작성하라는 것은 아니다. 있는

그대로 작성해야 하지만 최근 추세는 정부 지원사업비를 차감하는 추세이고 소액을 다수의 기업에 나누어주는 경우가 많다. (예비) 창업자가 사업추진에 필요한 자금이 실제 1억 원이더라도 차감한다는 의미이므로 정부 지원사업비는 (예비) 창업자의 집행계획에 따라 작성하되 가능하다면 1억 원에 맞추어 작성할 것을 권고한다.

3-3-3. 정부지원사업비 집행계획

o **Web 개발 및 플랫폼 구축**
  - 기술 개발과 이를 적용한 Web 구축하여 소비자 맞춤형 플랫폼 구현

o **교육 모델 수립 전문가 풀 구축**
  - 콘텐츠 제작, 교육 모델 수립 등 전문가 pool 구축
  - 액티베이션 모델, 예방 모델 및 교구를 통해 외부 협력업체와 업무 시너지

〈 정부지원사업비 집행계획 〉

비 목	산출 근거	정부지원사업비(원)
재료비	시제품 제작비	15,000,000
외주용역비	웹 플랫폼	20,000,000
기계장치	교구 장치, 개발자용 노트북, 사무용품	4,000,000
특허취득비	특허/저작권 등록	2,500,000
인건비	마케팅, 디자이너 2명*200만원*8개월	32,000,000
지급수수료	사무실 임대료	5,000,000
여비	여비교통비	1,000,000
회의비	회의비	1,500,000
광고선전비	홍보물 제작, 패키지 디자인	5,000,000
	콘텐츠 및 바이럴 마케팅	10,000,000
창업활동비	창업 활동 50만원*8	4,000,000
합 계		100,000,000

정부 지원사업비 집행계획 예시, IT 플랫폼 아이템(성장전략) (Sourced 자체 제작)

< 정부지원사업비 집행계획 >

비 목	산출근거	정부지원사업비(원)
외주용역비	• 커피박 수거 및 외부 용역비	25,000,000
기계장치	• 반죽기, 포장기기	30,000,000
인건비	• 조사요원 1명, 교육 전문가 1명 * 8개월	35,000,000
여비	• 기업탐방 벤치마킹, 박람회	2,000,000
지급수수료	• 세미나, 컨퍼런스 참여	1,000,000
광고선전비	• 기업홍보	2,000,000
	• 영상제작, 온라인마케팅	5,000,000
합 계		100,000,000

정부 지원사업비 집행계획 예시, 제조서비스 아이템(성장전략) (Sourced 자체 제작)

3-3-4 는 자금 필요성 및 조달 계획으로 정부 지원사업비 외에 사업추진에 드는 비용을 어떻게 조달할 것인가에 대한 계획을 작성하는 분야다. 안내 문구에는 크게 투자 유치, 자본금 조달이 제시되어 있는데 자본금 조달에서 '조달'이라는 단어에 집중하여 개인의 자본, 가족의 자본, 지인의 자본을 핵심 조달 수단으로 작성하면 자칫 지엽적인 조달 계획이 작성될 수 있다.

정부 지원사업비로 창업 자금을 조달한 (예비) 창업자는 사업화 이후에 자본을 조달하기 위해 다양한 방법으로 자금을 조달하게 된다. 앞서 본 저서의 Part 1에서는 창업 지원사업과 자금조달에 대해서 다루었는데 Part 1에서 다룬 정책자금의 4가지를 기억한다면 4가지 자금이 3-3-4를 작성하는데 좋은 길라잡이가 될 수 있다. 창업 지원사업에서 정책자금은 융자금, 출연금, 투자금, 지원금 4가지로 나뉜다.

3-3-4. 기타 자금 조달계획

○ 중소벤처기업부 창업성장기술개발 사업(중소기업 R&D 과제 기획 및 수주)
- 1차년도 제품 개발 이후 기업부설연구소 설립 및 벤처기업인증 획득을 통하여 중소기업 R&D 과제 참여
- 지역 창업중심대학과 산학협력을 통한 중소기업 R&D 기획역량 사업 참여 및 2024년도 단독 R&D 수주 목표 (1.5억원)

○ 중소기업 유통센터(판판대로) 및 지자체 판로개척 지원사업 참여
- 중소기업 유통센터(판판대로)의 소상공인 쇼핑 지원사업 참여
- 서비스 고도화 및 판로개척 지원금 조달을 통하여 보다 안정적인 서비스 제공
- 지자체 판로개척 지원사업을 포함하여 다양한 지원사업에 참여, 근로자의 안정적인 일자리를 제공하고 연구개발형 기업으로써 다양한 지원사업에 참여할 수 있도록 지원예정임

○ 로컬 크리에이터 및 지자체 지원사업 참여
- 로컬 크리에이터 및 활동가와 연계하여 지역 관광 활성화하는 사업에 참여, 지역 커피샵과 연계하여 제품 홍보 및 판매로 자금 조달
- 한국관광공사 및 디자인진흥원의 사업참여로 포장 패키지 개발, 지역 관광자원 연계

○ 크라우드 펀딩으로 초기 자금 조달
- 와디즈 펀딩을 통한 보상형 프로모션으로 초기 자금 조달

기타 자금조달 계획 예시(성장전략) (Sourced 자체 제작)

3-3-4에서 요구하는 자금 조달 계획은 4가지 자금을 참고하여 자금별 조달 계획을 제시하는 것이 좋다. 왜냐하면, 자금별로 조달 계획이 수립되었다는 뜻은 (예비) 창업자가 창업을 위해 다양한 정부 지원시책을 확인하고 준비하고 있다는 의미이며, 이 창업이 계획적이고 안정적인 창업이 될 수 있도록 신경 쓰고 있다는 이미지를 주기 때문이다. 개인의 자본이나 가족, 지인의 자금을 조달하는 것도 좋은 방법이 될 수 있지만, 자금조달 계획에서는 상대적으로 후순위로 기술해야 한다.

무작정 창업 지원사업을 모두 언급하는 것이 좋은 방법일까? 그렇지 않다. 예비 단계 또는 창업 초기 단계를 지원하는 사업 중 창업 아이템과 연관성이 높고 충분히 접근 가능한 사업을 제시하는 것이 바람직하다. 예를 들면 융자금에서 창업 자금(중소벤처기업진흥공단), 출연금에서 창업성장기술개발사업(중기부), 지원금에서는 초기창업패키지나 로컬 크리에이터를, 투자금에서는 크라우드 펀딩이나 Open IR을 통한 엑셀러레이팅 프로그램 또는 TIPS를 제시하는 것이다.

3-3-4. 자금 필요성 및 조달계획

ㅇ 자금 필요성
- 정부 지원사업비 외에도 창업 초기 발생하는 비용 및 경영자금의 발생 예상됨. 초기 마케팅, 제품 생산 및 고객 확보 등 다양한 활동의 자금이 요구됨.
ㅇ 자금 조달 계획
- 창업 지원사업: 예비창업패키지 완료 이후 창업중심대학 초기단계 진입 및 청년창업사관학교 사업 참여 예정임. 기술 분야 지원센터를 통한 사업화 자금 및 디자인 자금 조달.
- 정책금융 활용: 중소벤처기업진흥공단의 청년전용창업자금 활용으로 창업 초기 필요한 제품 개발 자금 및 운영비 조달. 신용/기술 보증의 금리 우대 프로그램 및 보증 제도 등을 활용하여 자금 효율적으로 확보할 예정임.
- 크라우드 펀딩 자금 조달 : 시제품 제작 완료와 함께 크라우드 펀딩 참여. 창업 초기 매출 목표 달성 및 자금 조달. 우수 참여자에 한하여 2차, 3차 크라우드 펀딩 시 보상형, 채권형, 투자형 등 다양한 크라우드 펀딩 방안 계획

기타 자금조달 계획 예시(성장전략) (Sourced 자체 제작)

3-3-4는 평가 위원의 관점에서 조달 계획의 적정성 여부를 확인하는 용도로 검토되기 때문에 다른 분야와 비교하면 작성의 난이도

나 비중이 상대적으로 낮다. 투자 유치라는 안내 문구 때문에 투자 유치에 중점을 두고 작성해도 물론 무방하다. 하지만 자금조달 계획은 한 자금에 비중을 두기보다 여러 자금을 두루 언급하는 것이 평가 위원으로부터 면밀한 계획이 수립되었다는 이미지를 줄 수 있다. 따라서 3-3-4는 가볍게 작성하되 여러 자금을 활용하는 계획으로 작성해야 한다.

팀 구성(Team)

PSST 모델은 평가 위원에게 혁신적인 창업 아이템의 필요성을 공감하게 하고 개발 계획과 아이템의 차별성을 볼 수 있게 한다. 차별성이 있는 아이템이 어떤 비즈니스 모델과 계획으로 추진되는지 확인하는 것이 성장전략(Scale Up)까지의 내용이라면 마지막 팀 구성(Team)은 이 사업을 추진하기 위한 대표자와 구성원의 역량을 보는 분야다.

과거에는 (예비) 창업자인 대표자의 역량에 많은 비중을 두었지만 최근 추세는 대표자 1인의 역량보다 팀 단위의 역량을 중요하게 보고 있다. 대표자 1인의 창업보다 팀 단위의 창업이 더욱 안정적일 수 있다고 판단하는 것인데 팀 단위의 역량을 중요하게 생각한다고 해서 처음부터 팀을 구성하여 창업 지원사업에 도전하라는 의미는 아니다. 창업 지원사업에 따라 팀 구성의 의미가 다르겠지만 예비창업패키지에서의 팀 구성은 예정 팀원도 팀 구성원으로 포함하고 있다.

사업계획서 서식에서 안내하고 있는 내용은 다음과 같다.

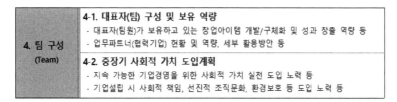

4. 팀 구성 (Team)	**4-1. 대표자(팀) 구성 및 보유 역량**
	- 대표자(팀원)가 보유하고 있는 창업아이템 개발/구체화 및 성과 창출 역량 등
	- 업무파트너(협력기업) 현황 및 역량, 세부 활용방안 등
	4-2. 중장기 사회적 가치 도입계획
	- 지속 가능한 기업경영을 위한 사회적 가치 실천 도입 노력 등
	- 기업설립 시 사회적 책임, 선진적 조직문화, 환경보호 등 도입 노력 등

팀 구성 작성 사항 (Sourced 예비창업패키지 서식)

4-1은 대표자(팀)의 구성과 보유 역량에 대해서 작성해야 한다. 4-1은 4-1-1과 4-1-2로 나뉘는데 4-1-1은 대표자(팀)의 보유 역량과 장비, 시설 등에 관한 내용이며 4-1-2는 외부 협력 현황 및 활용 방인에 관한 내용이다.

평가에 참여해보면 (예비) 창업자들이 4-1에 대해서 정말 많이 고민하고 있다는 점을 느끼게 된다. 하나라도 더 많은 역량을 작성하면 평가 위원으로부터 유리하게 평가받을 것이라 믿는 것인데 실상 평가에서 대표자(팀)의 구성이나 보유 역량에 대해서 평가하기란 쉽지 않다. R&D 지원사업의 경우 윤리적으로 문제가 없다면 연구 윤리 점수를 감정하지 않는다. 특별히 문제가 없다면 연구 역량에 대해서도 감점하지 않는다. 대표자와 팀의 역량이라는 것은 수상 실적이나 자격증처럼 드러나는 지표들도 있지만 드러나지 않는 내적 역량들이 있기 때문이다.

4-1 대표자(팀) 구성 및 보유 역량

4-1. 대표자(팀) 구성 및 보유 역량

4-1-1. 대표자(팀) 현황

○ 대표자 역량
- OO대학교 경영학과 졸업, OO 기업 품질부서 근무
- 크라우드 펀딩 200% 달성 경험, 자사몰 구축과 상품 디자인·기획 및 제품 제작, 배송까지 운영하여 쇼핑몰 운영에 최적화된 역량 보유
- N사 스튜디오와 협약 체결 및 파트너 촬영기사로 1년의 협업
- K사 컨설턴트 경험 (RA)

< (예비)창업팀 구성 예정(안) >

순번	직위	담당 업무	보유역량(경력 및 학력 등)	구성 상태
1	대표	사업 운영 총괄	N사 촬영기사, K사 컨설턴트	완료(24.02)
	팀원	디자이너	컬러리스트, 디자인 관련 자격보유, 10년경력	예정(24.07)

대표자(팀) 현황 예시(팀 구성) (Sourced 자체 제작)

만약 대학생 창업자가 보유 역량을 기재해야 한다면 적을 내용이 없으므로 창업 역량이 없다고 할 수 있을까? 그렇지 않다. 창업자에게 내재한 역량은 드러나는 실적들로 판단하기 어렵기 때문에 평가 위원은 섣불리 보유 역량을 기반으로 창업할 수 있다, 부족하다고 판단하지 않는다. 역량이 없어도 된다는 뜻은 아니다.

준비된 창업자를 더욱 선호하는 것은 맞지만 필수 조건처럼 평가

위원이 재단하듯 판단하지 않는다는 것이다. 따라서 (예비) 창업자는 4-1-1에서 대표자와 팀의 현황에 대해서 작성할 때 보유하고 있는 역량에 대해서 작성하되 이 역량이 미흡하다고 해서 주눅들 필요는 없다. 보유 역량에는 교육, 준비 현황도 포함된다. 창업을 위해 준비한 모든 과정이 대표자 개인과 팀의 역량이 되기 때문에 작성할 수 있을 만큼 작성한다면 평가에 도움이 될 것이다.

4-1. 대표자(팀) 구성 및 보유 역량

4-1-1. 대표자(팀) 현황

○ 대표자 역량

- OO대학교 컴퓨터공학과 졸업, S기업 모바일 사업부 근무
- OO대학 캡스톤 경진대회 우수상 (공조 먹트 제품 개발)
- OO 창업경진대회 장려상 (23')
- 산업기사 자격증 보유

○ 팀원 역량

- OO대학교 광고홍보학과 졸업, J기업 기획팀 근무
- IMC 마케팅 수행, 소셜미디어 및 운영 역량 보유

< (예비)창업팀 구성 예정(안) >

순번	직위	담당 업무	보유역량(경력 및 학력 등)	구성 상태
1	대표	사업운영 총괄	컴퓨터공학, 모바일 사업부 경력 (총 10년)	완료('24.02)
2	이사	홍보 및 마케팅	광고홍보학, SNS마케팅 관련 경력(총 5년)	완료('24.02)

대표자(팀) 현황 예시(팀 구성) (Sourced 자체 제작)

(예비) 창업팀은 반드시 채용이 완료된 상태여야 할까? 아니다. 사업계획서에서 요구하는 창업팀은 구성 완료자, 구성 예정자를 구

분하여 기재하도록 하고 있다. 팀원으로 구성이 완료된 경우 완료 시기를 작성하면 되며 구성 예정인 팀원은 예정인 상태로 예정 시기를 기재하면 된다. 완료 인원이 많다고 해서 좋은 평가를 받지 않으며 예정 인원이 많다고 해서 불리하지 않다. 평가 위원은 구성과 역량을 보기 때문에 팀 구성 완료 여부를 두고 판단하지 않는다.

(예비) 창업자가 해야 할 것은 어떤 준비를 해왔으며, 이를 위해 어떤 역량을 갖추고 있느냐를 꼼꼼히 작성하는 것이다. 작성하면 좋은 내용은 다음과 같이 정리할 수 있다.

∴ 창업을 위한 수료한 교육 및 프로그램
∴ 유사 경험 또는 정부 지원사업 수행 이력(직·간접 수행 이력)
∴ 수상 실적 및 창업 관련 자격증 보유 내역
∴ 팀에서 보유하고 있는 장비, 시설, 기술력 또는 노하우
∴ 대표자 및 팀의 학력, 경력

안내 문구에서 성명, 성별, 생년월일, 출신학교 등 유추 가능한 개인정보가 있는 경우 삭제 또는 마스킹할 것을 권고하고 있다. 특정 기업 출신임을 유추할 수 있는 경우 평가의 편향이 생길 수 있기 때문이다. 따라서 OO 또는 ** 표시로 개인정보는 삭제 또는 마스킹해야 하고 설령 삭제, 마스킹했다고 하더라도 문장에서 유추할 수 있도록 유도한다면 평가 위원으로부터 지적이 될 수 있다. 개인

정보를 굳이 기재하지 않아도 수행업무나 역량을 기재하여 경쟁력이 있음을 드러낼 수 있다.

4-1-1. 대표자(팀) 현황
○ **대표자 현황 및 역량**

[경력]
- OO대 대학원 기술경영학 석사
- OO 로컬크리에이터 공모전 대상 수상
- OO 관광재단 홍보 용역 수행(22~24)

[보유 역량]
- OO창조경제혁신센터 창업경진대회 합격
- OO창조경제혁신센터 창업스쿨 수료
- OO 여성경제인협회 창업보육센터 입주
- OO 브랜드 스토어 운영 중

OOO CEO

대표자(팀) 현황 예시(팀 구성) (Sourced 자체 제작)

최근에 인터넷에서 대표자의 사진을 첨부하면 신뢰도를 높여주기 때문에 평가에서 유리할 수 있다는 팁이 공유되고 있다. 실제로 평가에서 유리한지 불리한지 나온 통계는 없으며 평가 위원으로 평가에 임할 때도 대표자의 사진이 있느냐 없느냐로 평가에 영향을 받지 않는다. 이런 팁이 공유되고 있는 배경에는 서류 평가의 난이도가 높아졌기 때문에 합격을 위해 하나라도 다르게 작성하기 위함인 것으로 보인다. 하지만 대표자의 사진을 넣는 것은 아무런 영향을 주지 않는다. 오히려 사진을 넣음으로써 유추 가능한 개인정보를 넣었다는 명분을 줄 수 있으므로 평가에서 불리하게 작용할 수 있다.

인터넷에 떠도는 팁을 너무 맹신해서는 안 된다. 창업 아이템의 지원 여부는 대표자의 사진과는 무관하다. 평가 위원들은 (예비) 창업자들의 관상을 보는 사람들이 아니다.

4-1-2는 외부 협력 현황 및 활용 방안이다. 외부 협력 현황 및 활용 방안은 제품·서비스 개발과 사업화를 위해 협력 예정이거나 협력하고 있는 파트너를 작성해야 한다. 협력 대상은 기관, 기업일 수 있으며 전문가(개인)도 포함된다.

4-1-2. 외부 협력 현황 및 활용 방안

순번	파트너명	보유역량	협업방안	협력 시기
1	OO 기업	인쇄 전문 기업	제작 용역	24.04
2	OO창업센터	지원사업 및 메이킹 스페이스 제공	경영 지원	24.01~
3	OO 스튜디오	상품촬영 사진 제공	사진 촬영 시 협업	24.08
4	OO 센터	업무 중개, 바이어 발굴	바이어 발굴 계약	25.01~
5	OO 복지 센터	실증 및 테스트	실증 및 테스트	25.01~

외부 협력 현황 및 활용 방안 예시(팀 구성) (Sourced 자체 제작)

외부 협력 현황 및 활용 방안은 파트너가 보유하고 있는 역량과 협업 방안, 시기를 작성하면 되며 간단한 설명과 협력 내용에 대해서만 작성하면 된다. 평가 위원이 판단하는 것은 얼마나 우수한 파트너와 협력하고 있는지가 아니다. 평가 위원은 창업 아이템을 실현하는데 필요한 기관, 기업, 전문가와 적절하게 협업하고 있는지, 협력망을 구축하였는지를 본다.

협력이 확정된 곳만 기재하는 것이 아니라 예정인 기관, 기업, 전문가도 기재해야 하므로 (예비) 창업자는 사업화에 필요한 파트너를 모두 기재하면 된다.

협력하고 있는 파트너와 MOU를 체결해야 할까? MOU를 체결하고 이를 증빙할 수 있다면 권고한다. 하지만 모든 (예비) 창업자가 MOU를 체결할 수 있는 것이 아니기 때문에 가능하다면 체결하되 그렇지 않은 경우라도 예비 협력 파트너로 기재할 것을 권고한다. 4-1-2의 요구사항은 MOU 체결보다 협력망을 갖추고 있는지 여부이다. 실제 지원사업에 선정되면 기재된 파트너와 협력하여 사업을 추진해야 하므로 거짓으로 작성해서는 안 된다.

4-1-2. 외부 협력 현황 및 활용 방안

o 사업화 과정에 따라 외부협력기관과 협력망 구축

- 전자제품 제조 : S사와 파트너쉽체결하여 기존 전자제품 대비 OOO 기술이 적용된 제품으로 OEM 제조할 예정 (3차 미팅 완료, NDA 체결)
- 거치대 디자인 : OO 디자인 에이전시와 협약 체결 진행 중. 디자인 포트폴리오 및 시안 5종 협의 중
- B 패킹 컴퍼니 : 프리미엄 제품군에 적합한 패키지 인쇄 및 특수 포장지 개발 협업 (24년 7월 중 패키지 관련 미팅 예정, NDA 체결)

순번	파트너명	보유역량	협업방안	협력 시기
1	S사	하드웨어 개발	제품 제작	24.05
2	OO 디자인	디자인 개발	디자인	24.06
3	B 패킹 컴퍼니	인쇄 및 특수 포장지 개발	패키징	24.07

외부 협력 현황 및 활용 방안 예시(팀 구성) (Sourced 자체 제작)

4-1-2는 개발과 사업화에 필요한 협력망이기 때문에 (예비) 창업자는 개발 단계에서 만날 수 있는 제조사, 디자인, 패키징 등의 기업을 작성하는 것이 좋다. 사업에 도움이 되는 전문가를 기재하는 것도 좋다. 해당 분야의 권위자인 대학교수나 연구원, 특정 분야의 전문가를 파트너로 기재하여 창업 아이템의 완성도에 조언을 받거나 도움을 받는다고 기재해도 무방하다.

만약 기재했는데 협력을 하지 않는다면 문제가 될까? 아니다. 4-1-2는 사업계획의 일부이고 계획은 언제나 계획대로 실행되지 않을 수 있다. (예비) 창업자는 사업계획서에서 제시한 협약 기간 내에 달성할 목표(3-3-2)는 반드시 달성해야 하지만 4-1-2의 외부 협력 현황을 달성하지 못했다고 해서 목표 달성이 취소되었다고 판단 받지 않는다. 따라서 외부 협력 현황을 있는 그대로 작성하되 도움이 예상되는 파트너에 대한 계획을 함께 기재해도 된다. 거짓말을 하라는 것이 아니라 긍정적인 계획으로 작성해야 한다는 의미이다.

4-2 중장기 사회적 가치 도입계획

4-2는 중장기 사회적 가치 도입계획이다. 팀 구성(Team)에서 중장기 사회적 가치 도입계획이 무슨 관계가 있는지 의아할 수 있다. 중장기 사회적 가치 도입계획이라고 제시되어 있지만, 초기나 도약

단계의 지원사업에서는 이 분야가 'ESG 경영 계획'으로 제시되어 있다. 따라서 4-2의 다른 말은 ESG 경영 계획으로, (예비) 창업자 는 ESG가 아직은 먼 이야기일 수 있으니 중장기적인 관점에서 ESG를 어떻게 실천할 것인지를 작성해야 한다.

사업계획서에서 안내하고 있는 내용을 보면 다음과 같다.

4-2. 중장기 사회적 가치 도입계획

> ※ 기업 설립 이후 지속가능한 경영 등을 위한 중장기적 사회적 가치 도입계획 작성
> - 환경 : 폐기물 배출 감소, 재활용 확대, 친환경 원료 개발, 에너지 절감 등 환경보호 노력
> - 사회 : 지역사회 교류, 사회 환원, 인권, 평등, 다양성 존중 등 사회적 책임경영 노력
> - 지배구조 : 윤리경영, 상호 존중 조직문화 구축, 근로 환경 개선 등의 투명 경영 노력

중장기 사회적 가치 도입계획 안내 문구(팀 구성) (Sourced 예비창업패키지 서식)

중장기 사회적 가치 도입계획은 3가지를 요구한다. 초기·도약 단 계의 지원사업에서 요구하는 것과 같이 ESG 경영의 실천 내용 3 가지이다.

∴ 환경(Environment), 사회(Social), 지배구조(Governance)

4-2의 중요성은 현재 단계에서는 낮은 편이다. 자금조달 계획과 같이 평가 위원의 관점에서 참고 또는 확인 정도로만 평가되기 때 문에 (예비) 창업자들이 부담 없이 작성할 수 있는 분야가 4-2이

다. 하지만 ESG 경영이 중소기업과 지원사업의 중요한 사항이 될 것이라고 중소벤처기업부에서 공식적으로 발표한 상황이기 때문에 앞으로 4-2의 중요성은 계속 높아질 예정이다. 따라서 중요하지 않다고 대충 작성하기보다 가능한 선에서, 지면이 허락하는 선에서 최대한 작성하는 것을 추천한다.

4-2. 중장기 사회적 가치 도입계획

○ 환경적 가치 (Envirionment)
 - 개발과정에서 발생하는 폐기물을 분리 수거하여 재활용함. 사용된 재료를 수거하여 재활용하는 프로그램을 도입하고, 재활용 시설과 협력하여 재활용률을 높임.
 - 생산 과정에서 발생하는 열을 회수하여 재사용하고, 효율적인 에너지 관리 시스템을 도입하여 에너지 소비를 최소화할 수 있음.

○ 사회적 가치(Social)
 - 지역 소재의 기업과 협력하여 지역 친화적인 기업문화를 조성하고, 지역 사회 문화에 기여함. 프로젝트 진행 후, 수익금의 일부를 지역 사회 기관 및 비영리 단체에 기부하여 사회 환원에 기여할 수 있음.
 - 신규 채용 계획 외에도 지역 취약 계층의 일자리를 우선 채용할 수 있도록 워크넷 적극 활용

○ 지배구조(Governance)
 - 예비창업패키지 수료 이후 초기창업패키지로 사업화 자금을 조달한 후, TIPS를 통해 Seed 투자 및 Series A 라운드를 위해 IR 활동을 추진할 것임.
 - 핵심 디자이너 및 기획자의 스톡옵션 부여와 함께 기술인력의 직무발명보상제도를 적극 활용하여 대표자 단독 기업이 아닌 핵심 인력 및 주주와 함께 성장하는 기업문화 조성

중장기 사회적 가치 도입계획 예시(팀 구성) (Sourced 자체 제작)

예시에서는 ESG에 따라 중장기 사회적 가치 도입계획을 제시하고 있다. 창업 아이템을 사업화하는 과정에서 중장기적으로 환경, 사회, 지배구조 분야에서 실행할 수 있는 실천 과제들을 제시하고 있는데 (예비) 창업자들이 어려워하는 지점이 바로 여기에 있다.

어떤 계획을 제시해야 사회적 가치 도입계획 즉 ESG 경영 계획에 적합하냐는 것이다. 중장기 사회적 가치 도입계획에 부합한 계획인지 여부는 사업계획서 서식이나 안내 문구에서 제시되어 있지 않지만 중소벤처기업진흥공단의 가이드나 여러 연구자료를 보면 참고할 수 있는 기준, 실천 과제나 항목들을 정리해볼 수 있다.

∴ 환경

항목	도입계획
환경경영체계	-환경경영시스템 및 조직 구성 여부 -환경경영시스템 인증 취득 여부
온실가스 관련	-이산화탄소 배출량 -에너지 사용량
자원 재활용	-재활용 기준 및 지침 여부 -재활용 관리방법 및 내용
자원 폐기	-폐기물 배출량, 재활용량 -폐기물 관리방법 및 시스템 구축 여부
유해물질	-유해물질 배출 관리 시스템 구축 여부
친환경 기술	-친환경 기술 관련 인증, 특허 여부 -환경효율 우수성 -환경 사업의 매출 비중
탄소배출	-탄소 배출량 및 관리 방안

∴ 사회

항목	도입계획
고용	-고용 성비 및 임금비율 -고용 유연성 및 관련 제도 구축 -임금수준, 임금 관련 제도 구축 -취업규칙, 사규 등
조직 이슈	-차별 금지 -직장 내 괴롭힘 관련 규정 여부
산업 안전 및 보건	-산업 안전, 재해 관련 기준 -보건 관련 기준, 업무 처리 지침
정보 보호	-정보 보호 시스템 구축 여부 -정보보안 방안, 규정
안전 및 품질	-품질 관리 방안, 시스템 구축 여부 -고객만족도 관리 방안

∴ 지배구조

항목	도입계획
윤리 경영	-윤리경영방침, 시스템 구축 여부 -재무관리 투명성 -정보 공개 절차
준법 경영	-경제, 사회, 환경 법규 동향 관리 방안 -윤리 경영 행동 방침 수립 여부 -공정계약, 공정거래 -반부패관리방법

중장기 사회적 가치 도입 과제 (Sourced 대한상공회의소)

중장기 사회적 가치 도입 과제는 표에서 제시하는 내용 이외에도 다양하게 기술할 수 있다. 유연한 근로환경 구축을 위해 유연근무제나 자율출퇴근 제도처럼 제도를 직접 언급하거나 직무발명보상제도를 통해 우수 근로자에게 이익을 제공하는 방법도 가능하다. 스톡옵션이나 우리사주제도 또한 가능하다.

중장기 사회적 가치 도입계획은 기업이 지속가능한 경영을 할 수 있도록 기업과 근로자가 상생할 수 있는 제도, 방안을 제시하라는 의미이기 때문에 반드시 ESG 3가지를 모두 제시해야 한다고 생각하기보다 지속가능한 경영을 할 수 있도록 창업 아이템이 사업화되었을 때 실천 가능한 과제 위주로 작성하는 것이 좋다.

4-2. 중장기 사회적 가치 도입계획

○ 환경(Environment)에 대한 보호

- 지속가능한 경영을 위해 친환경 경영시스템을 구축하여 기업 운영
- 제로웨이스트를 실천하기 위한 다양한 방안 모색 (예약판매, 주문 생산방식 등)
- 비닐, 스티로폼 포장재를 지양하고, 친환경 종이로 구성된 포장재 활용 예정

○ 사회(Social)에 대한 공헌

- 윤리 경영을 통한 조직문화 정책 및 일하기 좋은 기업 구축
- 사회 취약 계층을 위한 주기적인 무료 서비스 및 봉사 활동 수행
- 사업의 성장을 통한 고용 창출, 지역 기업과의 상생, 지역사회 기여

○ 투명한 지배구조(Governance)

- 청년 고용 창출 및 일하기 좋은 환경을 갖추기 위해 복지 중심의 기업 구현
- 정확한 기업의 영업 정보를 공개하여 정보공개를 통한 투명한 기업운영
- 스톡옵션을 통한 직원들의 애사심 고취 및 높은 유대감 형성
- 매출액의 1% 사회환원을 통한 ESG경영 실천

중장기 사회적 가치 도입계획 예시(팀 구성) (Sourced 자체 제작)

요약문(Summary) 작성 전략

사업계획서를 작성할 때 요약문(Summary)을 먼저 작성하는 (예비) 창업자가 있다. 순서상 요약문은 개요에 해당하기 때문에 대부분의 (예비) 창업자들은 요약문을 중요한 것으로 생각하지 않기 때문이다. 하지만 요약문은 사업계획서에서 차지하는 비중은 작더라도 평가 위원에게는 매우 중요한 페이지로 인식된다. 요약문이 평가 위원에게 중요한 이유는 여러 가지가 있지만 두 가지로 정리해 볼 수 있다.

첫 번째는 평가의 구조 때문이다. 창업 지원사업의 경쟁률이 심화하면서 지원사업은 한정된 평가 예산으로 다수의 창업 아이템을 평가하고 있다. 평가 위원의 수당은 고정되어 있고 평가 위원의 수또한 늘리지 않고 있어 한 명의 평가 위원이 평가해야 할 아이템은 해가 갈수록 많아지고 있다. 평가 위원은 각 분야의 전문성을 보유한 전문인력이기 때문에 짧은 시간에도 많은 사업계획서를 빠르게 검토하고 평가할 수 있지만, 문제는 평가 위원의 역량이 균등하지 않다는 것에 있다. 누구는 빠르게 평가할 수 있지만, 누구는 빠르게 평가하지 못하므로 일부 평가 위원은 사업계획서 검토에 있어 요약문을 먼저 평가하게 된다. 요약문을 통해 창업 아이템을 파악하고 본문을 확인하는 것이다.

두 번째는 요약문만 보아도 창업 아이템을 파악할 수 있기 때문이다. 사업계획서를 평가할 때 요약문을 보면 창업 아이템의 전체적인 그림이 그려진다. PSST 모델에 따라 요약문을 작성하게 되어 있으므로 요약문만 보아도 평가 위원은 창업 아이템의 전체적인 모습을 알 수 있다. 물론 요약문을 본다고 해서 더욱 좋은 평가를 할 수 있는 것은 아니다. 평가 위원은 요약문을 파악한 후 본문을 읽기도 하고 요약문을 확인하지 않고 본문을 평가하기도 한다.

평가 위원을 생각하여 요약문을 쓸지 말지 판단할 것이 아니라 평가의 구조와 요약문의 중요성을 생각하여 전략적으로 요약문을 작성해야 한다. 요약문을 읽는 평가 위원에게는 전략적으로 작성된 요약문이 좋은 평가의 길라잡이가 될 것이고 읽지 않는 평가 위원이라 하더라도 요약문은 평가의 시간을 줄여줄 수 있는 장치가 된다. 어느 쪽을 선택하더라도 요약문을 전략적으로 작성하는 것은 (예비) 창업자에게 이익이 되기 때문에 요약문을 개요로 인식하지 말고 본문 만큼이나 중요한 페이지로 인식할 것을 추천한다.

요약문은 PSST 모델에 따라 각 분야별 내용을 요약하여 표에 기술하도록 안내하고 있다.

□ **창업아이템 개요(요약)**

명 칭	※ 예시1 : 게토레이 예시2 : Windows 예시3 : 알파고	범 주	※ 예시1 : 스포츠음료 예시2 : OS(운영체계) 예시3 : 인공지능프로그램
아이템 개요	※ 본 지원사업을 통해 개발 또는 구체화하고자 하는 제품·서비스 개요 　(사용 용도, 사양, 가격 등), 핵심 기능·성능, 고객 제공 혜택 등 ※ 예시 : 가벼움(고객 제공 혜택)을 위해서 용량을 줄이는 재료(핵심 기능)를 사용		
배경 및 필요성	※ 제품·서비스 개발 또는 구체화 필요성과 해결 방안, 주요 목적 등 ※ 제품·서비스 목표시장(고객) 설정, 목표시장(고객) 현황 및 요구사항 분석		

창업 아이템 개요(요약) 안내 문구 (Sourced 예비창업패키지 서식)

요약문은 일반적으로 1페이지로 구성할 것을 권고한다. 요약문을 포함하여 본문의 장수를 계산하기 때문에 사업계획서를 작성할 때는 요약문에 많은 페이지를 할당하기보다는 요약문은 간결하게, 본문을 심도 있게 작성하는 것이 좋다. 요약문의 분량을 생각한다면 예시의 표와 같이 한 칸에 많은 내용을 작성하기 어려울 것으로 보인다. 글만 적기에도 전략적인 작성은 요원해 보이는데 생각의 틀을 깨고 그림이나 도표를 적극적으로 활용해야 한다.

명 칭	요약노트		범 주	요약 전용 웹페이지
아이템 개요	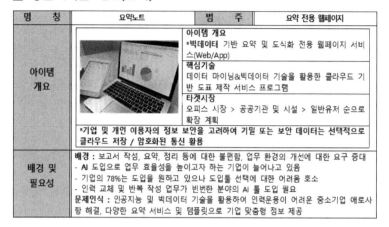	**아이템 개요** *빅데이터 기반 요약 및 도식화 전용 웹페이지 서비 스(Web/App)		
		핵심기술 데이터 마이닝&빅데이터 기술을 활용한 클라우드 기 반 도표 제작 서비스 프로그램		
		타겟시장 오피스 시장 > 공공기관 및 시설 > 일반유저 순으로 확장 계획		
	*기업 및 개인 이용자의 정보 보안을 고려하여 기밀 또는 보안 데이터는 선택적으로 클라우드 저장 / 암호화된 통신 활용			
배경 및 필요성	**배경 :** 보고서 작성, 요약, 정리 등에 대한 불편함, 업무 환경의 개선에 대한 요구 증대 - AI 도입으로 업무 효율성을 높이고자 하는 기업이 늘어나고 있음 - 기업의 78%는 도입을 원하고 있으나 도입툴 선택에 대한 어려움 호소 - 인력 교체 및 반복 작성 업무가 빈번한 분야의 AI 툴 도입 필요 **문제인식 :** 인공지능 및 빅데이터 기술을 활용하여 인력운용이 어려운 중소기업 애로사 항 해결, 다양한 요약 서비스 및 템플릿으로 기업 맞춤형 정보 제공			

창업 아이템 개요(요약) 예시 (Sourced 자체 제작)

창업 아이템의 개요 및 배경, 필요성에서 도표와 그림을 활용하는 예시를 보면 위와 같다. 창업 아이템을 설명하기 위해 글만 나열하는 일반적인 요약문과 달리 참고할 수 있는 이미지나 도표를 활용하여 정리한다면 평가 위원에게 조금 더 창업 아이템을 직관적으로 이해시킬 수 있다. 실제 평가 위원으로 평가해보면 요약문에 그림과 도표를 사용한 기업이 사업계획서도 잘 작성할 확률이 높았다. 요약문까지 잘 작성할 정성이면 사업계획서도 잘 작성했을 것이라고 미루어 짐작할 수 있기 때문이다.

주의할 점은 지나치게 도식화하는 것이다. 그림이나 도표를 활용하라는 것이지 그림과 도표로 가득 채워서는 안 된다. 평가 위원은 디자인을 평가하는 것이 아니라는 점을 한 번 더 명심해야 한다.

현황 및 구체화 방안	※ 사업 참여 이전 제품·서비스 개발 또는 구체화 준비 이력, 단계(현황) 등 ※ 협약기간 내 개발 또는 구체화 예정인 최종 산출물(형태, 수량 등) ※ 대표자, 팀원, 업무파트너(협력기업) 등 역량 활용 계획
목표시장 및 사업화 전략	※ 본 사업 참여 시 개발 또는 구체화할 제품·서비스의 수익화 모델(비즈니스 모델) ※ 목표시장(고객) 확보 및 사업화 전략 ※ 경쟁제품·서비스 대비 자사 제품·서비스의 차별성, 경쟁력 (보유역량) 등
이미지	※ 제품·서비스 특징을 나타낼 수 있는 참고 사진(이미지)·설계도 등 삽입 (해당 시) < 사진(이미지) 또는 설계도 제목 >	※ 제품·서비스 특징을 나타낼 수 있는 참고 사진(이미지)·설계도 등 삽입 (해당 시) < 사진(이미지) 또는 설계도 제목 >

창업 아이템 개요(요약) 안내 문구 (Sourced 예비창업패키지 서식)

실현 가능성과 성장전략에 해당하는 두 분야는 표의 분량에 비해서 요구하는 내용이 많다. 요약문이라고 하지만 사업계획서에서 중요한 비중을 차지하는 분야기 때문에 어떻게 요약을 해야 할지 어렵게 느껴질 수 있다. 현황 및 구체화 방안은 '사업화 단계'나 '산출물에 대한 이해'로 작성하는 것이 좋고 목표 시장 및 사업화 전략은 '시장 조사' 또는 '차별점', '경쟁우위' 등을 작성하는 것이 좋다. 정답은 없지만, 창업 아이템의 필요성, 차별성이 돋보이도록 작성하는 것을 추천한다.

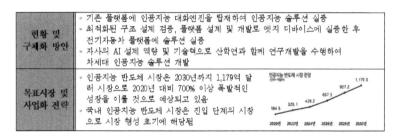

현황 및 구체화 방안	• 기존 플랫폼에 인공지능 대화엔진을 탑재하여 인공지능 솔루션 실증 • 최적화된 구조 설계 검증, 플랫폼 설계 및 개발로 엣지 디바이스에 실증한 후 전기자동차 플랫폼에 솔루션 실증 • 자사의 AI 설계 역량 및 기술력으로 산학연과 함께 연구개발을 수행하여 차세대 인공지능 솔루션 개발	
목표시장 및 사업화 전략	• 인공지능 반도체 시장은 2030년까지 1,179억 달러 시장으로 2020년 대비 700% 이상 폭발적인 성장을 이룰 것으로 예상되고 있음 • 국내 인공지능 반도체 시장은 진입 단계의 시장으로 시장 형성 초기에 해당됨	인공지능 반도체 시장 전망

창업 아이템 개요(요약) 예시 (Sourced 자체 제작)

예시를 보면 표 일부를 나누어 시장 조사를 통해 확보한 통계 자료를 삽입한 것을 볼 수 있다. 앞서 보았던 예시는 그림이나 도표를 활용하여 이해를 돕기 위한 것이었다면 이 예시는 도표를 나누어 기술된 내용과 함께 자료를 볼 수 있도록 하고 있다. 이 방법은 멘토링 시에 (예비) 창업자들에게 많이 추천하는 방법으로 평가 위원이 차별성과 사업화 전략을 더욱 쉽게 파악할 수 있게 한다.

	'자연에서 답을 찾다, 보습연구소'	
현황 및 구체화 방안	- 연령별 및 피부 상태에 따른 3단계 구성 1) 스타터팩 : 바디로션, 세안비누, 보습크림, 치약 2) 스탠다드팩 : 바디로션, 세안비누, 스킨, 로션, 치약, 립밤 3) 매니아팩 : 바디로션, 세안비누, 스킨, 로션, 치약, 립밤, 보습크림 - 저렴한 H 물질 (X), HO 물질(O) 사용으로 아동을 위한 친환경 보습 제품 구성	
목표시장 및 사업화 전략	- 국내 아토피 시장은 2027년까지 약 10조원대 시장으로 성장 (Gloabal Data) - 글로벌 아토피 시장에서 아시아-태평양 지역이 차지하는 비율은 약 32% - 환경호르몬 및 기후 변화에 따른 국내외 아토피 질환 환자수가 증가하고 있음 - 특별히 10대 미만의 소아 시기에 가장 많은 아토피 환자가 발생되고 있음 - 소아기에 집중적으로 관리하여야 아토피를 관리할 수 있으므로 주력 타겟 시장으로 선정	지난해 아토피피부염 연령별 진료 현황

창업 아이템 개요(요약) 예시 (Sourced 자체 제작)

이미지에는 어떤 이미지를 넣으면 좋을까? 예시에서는 참고할 수 있는 이미지나 설계도 등으로 안내하고 있다. 참고할 수 있는 이미지나 설계도를 작성하라고 해서 실제로 설계도를 입력하는 (예비) 창업자는 없지만, 특허를 출원하기 위해 설계도를 보유한 (예비) 창업자가 있다면 설계도를 입력해도 된다. 대부분의 (예비) 창업자는 설계도를 보유하고 있지 않기 때문에 이런 경우 설계도 보다는 시제품, 완성품을 확인할 수 있는 이미지를 넣는 것이 좋다.

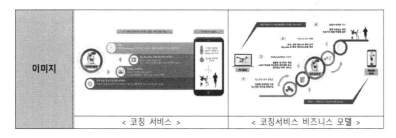

창업 아이템 개요(요약) 예시 (Sourced 자체 제작)

초기창업, 창업도약 단계의 지원사업은 이미 완성된 제품이 있기 때문에 이미지를 넣기가 쉽지만 (예비) 창업자의 경우 창업 아이템이 아이디어 단계에 있어서 최대한 시제품에 가까운 이미지를 넣는 것이 좋다. 복잡한 디자인 작업을 하지 않아도 된다. 경쟁사의 제품 또는 서비스를 수정·보완하여 최종 산출물을 알 수 있도록 작성하면 된다. 본문에서 사용한 산출물의 이미지가 있다면 같은 이미지를 넣는 것을 추천한다. 요약문의 이미지는 새로운 이미지가 아니라 본문에서 사용한 이미지를 넣어야 일관성이 있다고 볼 수 있다.

이미지		
	최종 산출물	랜딩페이지 구상

창업 아이템 개요(요약) 예시 (Sourced 자체 제작)

이미지를 2장 넣어야 하는 경우 산출물의 이미지와 비즈니스 모델 또는 설계도, 시장 통계 자료 등을 넣는 것이 좋다. 어떤 이미지를 넣느냐에 따라서 합격의 당락이 결정되는 것은 아니다. 반드시 산출물의 이미지를 넣어야 하는 것도 아니며, 비즈니스 모델을 넣어야 하는 것도 아니다. 하지만 요약문을 통해 창업 아이템의 경쟁력을 쉽게 이해하고 평가할 수 있게 하려면 산출물과 비즈니스 모델 또는 산출물과 통계 자료를 활용하는 것이 좋은 방법이 될 수 있다.

사업계획서 작성 20계명

PSST 모델에 따라 사업계획서 작성 전략을 살펴보았다. 창업 지원사업 절차에서부터 사업계획서 분야별 작성 전략까지 저자가 제시한 작성 방법과 여러 팁을 활용한다면 사업계획서 작성의 어려움을 조금이나마 해소할 수 있을 것이다.

사업계획서 작성은 언급한 내용 이외에도 생각해야 할 부분이 있다. 본문에서 다루지 못한 내용을 포함하여 저자는 이를 사업계획서 작성 20계명으로 명명하여 정리해보았다. (예비) 창업자는 사업계획서를 작성하였다고 하더라도 아래의 20가지 포인트를 다시 한번 생각하면서 사업계획서를 검토해도 좋을 것이다. 작성 전략을 포함하여 다시 한번 상기하면 좋을 내용을 20가지 정리해보면 다음과 같다.

① 사업계획서 작성에 앞서 공고문을 반드시 정독해야 한다.

오랜 시간 (예비) 창업자를 멘토링 해오면서 느낀 한 가지의 공통점은 공고문을 정독하지 않는 (예비) 창업자가 매우 많다는 것이다. 사업계획서는 공고문에 기반하여 작성되어야 하고, 공고문에 작성된 내용을 참고하면 사업계획서의 작성 방향이 보인다. 공고의 내용과 상반된 사업계획서는 작성 단계에서부터 어려울 수 있고, 작성되었다 하더라도 평가의 취지와 맞지 않을 수 있어 평가 위원으로부터 좋은 평가를 받기 어렵다.

같은 지원사업이라 하더라도 해에 따라 새롭게 변경된 내용이나 바뀐 부분이 있을 수 있어서 공고문은 반드시 정독해야 하며, 정독한 내용에 따라 사업계획서를 작성해야 한다.

② 개조식으로 작성해야 한다.

사업계획서는 개조식으로 작성되어야 한다. 문서 작성 방법에는 서술식과 개조식이 있는데 서술식은 본 저서와 같이 한 문장을 길게 적는 것을 서술식이라 한다. 개조식은 한 문장을 작성할 때 중요한 요점이나 단어를 나열하는 방식을 말하는데 문장을 계층화하는 것이라고 이해하는 것이 쉽다. 서술식과 개조식의 예를 보면 아래와 같다.

서술식 : 당사는 기계 대여를 통해 로컬 특산물을 이용한 제품 생산 후 지역 축제에서 팝업스토어 오픈 및 초기 매출 견인, 홍보를 중점으로 한 집행계획을 수립하고자 합니다. 로컬 크리에이터 지원사업을 통해 생산 능력을 확보하고 시장 및 신제품 홍보 효과를 통해 지역 관광 활성화에 기여할 수 있도록 사업활동비를 사용하겠습니다.

개조식 :

- 기계 대여를 통해 로컬 특산물을 이용한 제품 생산 후 지역 축제에서 팝업스토어 오픈 및 초기 매출 견인, 홍보를 중점으로 한 집행계획 수립
- 로컬 크리에이터 지원사업을 통해 생산 능력을 확보하고 시장 및 신제품 홍보 효과를 통해 지역 관광 활성화 기여할 수 있도록 사업활동비 집행

개조식은 공문서나 보고서, 보도자료 등에서 주로 사용된다. (예비) 창업자는 지원사업의 공고에서 개조식을 쉽게 확인할 수 있는데 개조식은 특히 관공서에서 제작한 인쇄물에서 찾아볼 수 있기 때문에 개조식이 어려운 창업자는 관공서 인쇄물을 많이 찾아보고 읽을 것을 추천한다. 통상 사업계획서는 지면이 부족하여 개조식으로 작성하더라도 가독성을 고려하여 한 문장에 2~3줄 정도로만 문장을 작성한다.

③ 사업계획서의 톤 앤드 매너(Tone & Manner)가 필요하다

사업계획서 작성 시에 디자인을 신경 쓰지 않아도 된다고 언급했다. 하지만 이 팁은 디자인이 무관하다는 뜻이 아니라 디자인을 평가하지 않는다는 의미이다. 평가하지 않는다고 해서 디자인을 고려하지 않고 사업계획서를 작성하게 되면 상대적으로 디자인에 신경을 쓴 사업계획서에 비해서 준비가 부족한 느낌을 줄 수 있다.

1-1. 제품·서비스의 개발동기

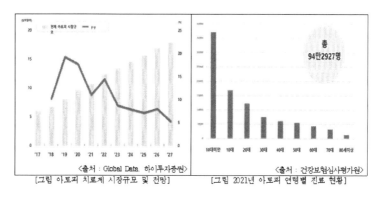

[그림 아토피 치료제 시장규모 및 전망] 〈출처 : Global Data, 하이투자증권〉
[그림 2021년 아토피 연령별 진료 현황] 〈출처 : 건강보험심사평가원〉

○ **환경 변화에 따른 피부질환 환자의 증가**
  - 중국발 미세먼지, 새집증후군, 환경호르몬 등으로 인해 10대 미만 아토피 환자 증가
  - 아토피 특성상 발병 이후 지속적인 삶의 질 하락, 정상적인 사회 활동이 어려울 정도로 많은 제약이 존재하게 됨

톤 앤드 매너 예시 (Sourced 자체 제작)

디자인이 어렵거나 감각이 부족한 (예비) 창업자의 경우 포토샵이나 일러스트레이터를 활용하기 어렵다면 PPT를 활용하거나 미리

240

캔버스, 캔바와 같은 온라인 툴을 활용하여 디자인 작업을 할 것을 추천한다. 디자인 작업의 핵심은 톤 앤드 매너(Tone & Manner)다. 전체적인 색감에서 유사성, 통일성을 보인다면 사업계획서는 깔끔하게 작성된 느낌을 줄 수 있다.

④ 서식을 임의로 바꿔서는 안 된다.

사업계획서 개요에서 설명한 것과 같이 서식을 임의대로 바꿔서는 안 된다. (예비) 창업자가 다급한 마음에 목차를 변경하거나 서식을 임의대로 바꾸는 경우가 많은데 과거에는 이런 간절함을 어느 정도 수용하는 모습이었다면 최근에는 그렇지 않다. 경쟁률이 심화하면서 공정성에 많은 문제가 제기되고 있기 때문에 지원사업을 주관하는 기관에서는 서식을 함부로 변경하는 경우 탈락의 사유가 될 수 있음을 명시하고 있다.

서식에서 요구하는 폰트 또한 함부로 변경해서는 안 된다. 가독성을 이유로 독특한 폰트를 사용하는 (예비) 창업자가 있는데 독특한 폰트의 경우 공공기관에 폰트가 설치되어 있지 않으면 글씨가 깨질 수 있어 평가가 어려울 수 있다. pdf로 제출할 수 있기 때문에 독특한 폰트를 사용해도 된다고 판단할 수 있지만 공공사업에서는 무리수를 두는 것을 추천하지 않는다. 서식에서 정한 그대로를 활용하는 것이 좋다.

⑤ 중요한 문장은 진하게, 밑줄을 치자

사업계획서에서 중요한 부분을 강조하고 싶을 때 어떤 방법을 사용해야 할까. 저자가 추천하는 방법은 진하게, 밑줄을 치는 것이다. 글씨를 진하게 처리하는 것만으로도 충분히 강조할 수 있지만, 밑줄까지 긋는다면 평가 위원이 한 번 더 유심히 살펴보게 할 수 있다. 하지만 무작정 중요하다고 생각하는 모든 문장을 진하게, 밑줄 처리한다면 사업계획서가 전체적으로 지저분해 보일 수 있다. 저자가 추천하는 방법은 중요한 문장에 진하게, 밑줄 처리를 하되 중요한 문장만 읽어보아도 창업 아이템의 경쟁력이 보일 수 있도록 문장을 선별하여 작성하는 것이다.

o **친환경 원료를 사용한 일석이조 효과의 제품**
  - 현재 <u>시중에 나와 있는 아토피 제품은 Ho를 활용한 제품으로 함량이 매우 낮고 피부 제품이라는 이유로 높은 가격이 판매되고 있음</u>
  - 중증아토피연합회 설문조사에 따르면 국내 아토피 환자의 경우 **'경제적인 부담'이 매우 크다고 답한 환자가 70%에 이르며 아토피 치료 시 고가의 치료제, 낮은 개선 효과에 대한 요구사항이 있는 것으로 조사되었음.**
  - 아토피 환자의 니즈에 따라 본 제품은 Hoo를 활용한 친환경 제품으로 한국의과학연구소 연구 결과에 따라 면역력 증진 및 피부질환 개선에 탁월한 효과가 있는 물질을 원료로 활용, 당사의 유통 역량 및 제품 판매 역량을 통하여 가성비 제품으로 개발하고자 함

o **유아동 라이프 사이클에 따른 3단계 패키지 구성**
  - 아토피의 조기 관리에 따른 확산 방지를 위해 라이프 싸이클에 따른 3단계 패키지(스타터, 스탠다드, 마니아 팩)를 구성하여 **아토피 관리가 어려운 초보 엄마를 위한 원스탑 케어 솔루션을 제공할 것임**
  - 또한 커뮤니티 구성을 통하여 아토피 질환에 대한 다양한 정보 및 가이드라인 제공

문장 처리 예시 (Sourced 자체 제작)

⑥ 통계 자료의 중요성 다시 한번 생각하기

사업계획서에서 통계 자료가 차지하는 비중이 (예비) 창업자가 생각하는 것보다 높다. 창업 지원사업을 포함하여 R&D 지원사업의 사업성 평가에서 가장 많이 지적되는 것이 시장 조사의 적절한 수행 여부이다. 기업은 시장과 산업을 조사하여 기회를 포착할 수 있고 기회는 곧 매출, 성장으로 이어진다. (예비) 창업자라고 다르지 않다. 사업계획서에 제시된 통계 자료가 얼마나 잘 조사되었는지만 보아도 (예비) 창업자의 창업에 대한 준비 정도를 확인할 수 있다.

앞서 전략으로 제시한 것과 같이 통계 자료는 3년 이내의 자료를 사용할 것을 추천한다. 최신 자료를 사용하는 것이 가장 좋지만 통계 자료는 후행하는 경우가 많아 최대 3년 정도를 기준으로 하여 자료를 찾아보아야 한다.

⑦ 해당 연도의 핵심사항 반영하기

창업 지원사업은 정책 지원사업으로 매년 변경되는 중소기업 지원 정책 방향에 따라 흐름이 달라진다. 어떤 해에는 고용이 중요하지만 어떤 해에는 수출이 중요하듯이 정책의 방향이 어디를 향하고 있느냐에 따라서 지원사업은 달라질 수 있다. 핵심은 키워드이다. 정책의 지원 방향에 따라 우리 기업의 아이템을 설명하는 키워드를 달리 해야 한다.

⑧ 빈칸을 남겨두지 말아야 한다.

작성할 내용이 없다고 빈칸을 남겨두는 (예비) 창업자가 많다. 대표자와 팀 역량을 작성할 때 팀이 구성되지 않아 예정 팀원조차 공란으로 두는 경우가 있다. 예정 팀원은 어디까지나 예정자이기 때문에 채용을 확정하지 않더라도 예정 팀원을 구성하는 것이 좋다. 외부 협력 파트너도 마찬가지다. 협력하지 않는데 거짓으로 협력 업체를 넣으라는 것이 아니다.

창업은 혼자서 할 수 없다. 외주 개발사, 물류 업체, 조력자 등 여러 협력 업체가 있기 마련이며 도움을 주고받으며 함께 하나의 제품·서비스를 완성해간다. 작성할 것이 없는 것이 아니라 작성할 수 있는 선에서는 최대한 작성하는 것이 좋다. 빈칸은 성의 없음을 표현하기도 하기 때문에 될 수 있으면 사업계획서 작성 시에는 빈칸을 남겨두지 않는 것을 추천한다.

⑨ 사업계획서가 창업 아이템의 얼굴이다.

사업계획서는 창업 아이템의 얼굴이다. 평가 위원이 아이템을 만나는 첫 관문이 사업계획서이며, 기관의 입장에서도 사업계획서로 창업 아이템을 만난다. 사업계획서가 어떠하냐에 따라 (예비) 창업자의 이미지가 달라질 수 있으며, 경우에 따라 사업계획서가 창업 아이템의 모든 것을 대변하기도 한다.

(예비) 창업자가 간과하는 것은 사업계획서의 중요성이다. 발표 평가가 있기 때문에 서류 평가에 해당하는 사업계획서가 전부일 것으로 생각하지만 실제 모든 평가는 사업계획서에서 끝이 난다. 발표 평가 점수가 있다고 하더라도 서류 평가에서 대부분의 평가가 마무리되므로 (예비) 창업자는 사업계획서 작성에 심혈을 기울여야 한다.

따라서 지원사업 공고가 게시되고 임박해서 작성하기보다 사전에 작성해두는 것이 좋다. 다수의 (예비) 창업자는 지원사업이 시작되기 몇 달 전에 이미 사업계획서를 완성해둔다. 공고가 게시되면 공고문을 정독하고 조금 수정할 수 있겠지만 특별한 수정사항이 없다면 지원사업은 반복된다.

⑩ 한 줄 소개, 한 줄 슬로건을 활용하자

사업계획서의 개요에는 창업 아이템명을 작성하도록 하고 있다. 기술이나 창업 아이템의 강점이 돋보이도록 한 줄로 작성하는 것인데 과거에는 창업 아이템명이 중요하여 어떻게 작성해야 할지 여러 팁이 인터넷에서 공유되었다. 하지만 요즘은 사업계획서의 개요에 작성된 창업 아이템이 합격의 당락에 미치는 영향이 적다. 본문에 작성된 내용이 중요하기 때문에 평가 위원이 창업 아이템명만 보고 전체를 가늠하지 않는 것이다.

하지만 창업 아이템을 한 줄로 소개하거나 한 줄 슬로건을 활용하여 창업 아이템을 쉽게 이해시키는 방법은 예전이나 지금이나 효과적이다. 소제목이라 할 수 있는 한 줄 요약을 반드시 사용해야 하는 것은 아니지만 한 줄 요약이나 슬로건은 요약문이나 본문에서 중요성을 강조할 때 사용할 수 있다.

'자연에서 답을 찾다, 환경연구소'

- **연령별 및 피부 상태 정도에 따른 3단계 구성**
  1) 스타터팩 : 바디로션, 세안비누, 보습크림, 치약
  2) 스탠다드팩 : 바디로션, 세안비누, 스킨, 로션, 치약, 립밤
  3) 매니아팩 : 바디로션, 세안비누, 스킨, 로션, 치약, 립밤, 보습크림
- **저렴한 H (X), Ho(O) 사용으로 아동을 위한 친환경 제품 구성**

문장 처리 예시 (Sourced 자체 제작)

⑪ 시장규모 및 현황은 기회 요소를 언급하자

통계 자료를 작성할 때 단순히 현황이 이러하다, 시장의 상황이 이러하다고 있는 그대로를 기술해서는 안 된다. 시장의 현황을 조사하여 작성하는 것도 사업계획서의 요구사항이지만 사업계획서의 취지는 조사된 자료가 창업 아이템과 어떤 연관성이 있는가이다. (예비) 창업자가 통계 자료를 활용하기 가장 좋은 방법은 시장 조사를 통해 시장의 취약점이나 문제점 또는 기회 요소를 확인하는 것이다. 시장 조사를 해보았더니 문제점이 발견되어 해결하기 위해 창업했다, 기회가 보여 창업했다는 방식이 좋은 방법이 될 수 있다.

⑫ 제품·서비스는 문제 해결형이어야 한다.

PSST 모델은 문제 인식과 해결방안은 담은 모델이다. 반드시 모든 창업 아이템이 문제 해결형 아이템은 아니지만, 지원사업은 개선 또는 혁신적인 아이템을 선호하므로 다분히 창업 아이템은 이전보다 좋은 점이 보여야 한다. 이전보다 좋다는 것은 이전 제품, 이전 서비스의 단점이 있다는 의미이며 창업 아이템은 이를 해결할수 있다는 것이므로 제품·서비스는 문제 해결형으로 평가 위원에게 인식되어야 한다.

특히 이런 문제 해결에는 해결하려는 방안, 핵심 역량, 인력, 기술 등이 중요한데 이 방안을 구체적으로 기술하는 것이 사업계획서의 SST 구성내용이다. 따라서 (예비) 창업자는 사업계획서를 작성할때 문제 해결을 위한 방법을 SST 구성에 따라 먼저 요약 정리한다면 사업계획서의 큰 틀을 구조화할 수 있어 작성이 쉬워질 수 있다.

⑬ 시장의 변화는 앞으로의 예상치를 반영해야 한다.

경쟁 기업의 현황을 포함하여 시장과 산업의 현황과 기술에 관해서 설명할 때 현황이나 선도 기업, 경쟁 기업의 현재만을 작성하기보다 앞으로의 변화나 예상치를 반영하는 것이 좋다. 창업 아이템은 개선, 혁신을 기본으로 하기 때문에 시장의 변화에 민감한 아이템인 경우가 많다. 산업의 변화에 따라 선도적인 기술이 반대로 사장될 수 있고, 변화에 따라 조명받지 못하던 기술이 선도적인 기술로 주목을 받을 수도 있다.

시장의 변화가 앞으로 어떻게 흘러갈 것이며, 시장의 변화에 따라 산업에 요구되는 기술과 아이템이 무엇인지 함께 언급한다면 사업계획서의 논리는 조금 더 설득력을 얻을 수 있다.

⑭ 경쟁사는 잠재적 경쟁사를 포함한다.

비교표 작성을 통해 경쟁 기업과 창업 아이템을 비교하는 경우 조사를 통해 확인된 경쟁 기업만 언급할 때가 많다. 시장의 경쟁 기업은 반드시 아이템이 겹치는 경우에만 경쟁 기업이 되는 것이 아니다. 산업의 변화에 따라 전혀 의외의 기업이 경쟁 기업이 될 수도 있다. 잠재적인 경쟁사가 우리 창업 아이템의 위협적인 존재가 된다는 의미이다.

대형 마트는 SNS가 잠재적인 경쟁사이다. 사람들이 온라인에 오랜 시간 머물면서 커머스까지 이용하게 되면 마트로 쇼핑하러 오지 않는다. 주변 대형 마트만 경쟁사가 되는 것이 아니라 이 경우 SNS 또한 경쟁사가 될 수 있다. 비교표는 직접 경쟁 기업을 작성해야 하지만 경쟁 현황이나 시장 상황, 기술을 언급할 때는 잠재적인 경쟁사도 함께 작성하는 것이 좋다. 다양한 경쟁 기업을 제시함으로써 평가 위원은 창업자의 시각이 더 넓고 시장에 유기적으로 대응할 수 있다는 것을 확인할 수 있다.

⑮ 추정 매출은 말 그대로 예상치이다.

(예비) 창업자에 따라 창업 아이템이 사업화되면 얻을 것으로 예상하는 매출을 작성할 수 있다. 매출을 작성하는 경우 이 매출은 미래를 예상하여 작성하는 것이므로 추정 매출이 된다. 과거의 데이터에 기반하여 또는 유사 아이템에 기반하여 매출을 예상하는 것이기 때문에 매출을 작성할 때는 이것이 예상치라는 점을 염두에 두어야 한다.

예상치이기 때문에 10배, 20배를 마구잡이식으로 작성하면 안 된다. 다만 지나치게 보수적일 필요도 없다. (예비) 창업자에게 필요한 추정 매출 작성 방법은 해가 갈수록 빠르게 성장하는 것이다. 사업화 첫해에는 매출이 작을 수 있어도 2년, 3년 차가 되면서 점점 매출이 가파르게 늘어나는 모습을 기술하는 것이다. 꼭 몇 배가 되어야 한다는 기준은 없다. 굳이 참고한다면 시장점유율을 기준으로 매출을 산정하는 것을 추천한다.

창업 초기기업은 시장점유율 1% 확보를 목표로 사업을 추진한다. 탐삼솜(TAM-SAM-SOM)에서 타겟 시장인 솜(SOM)의 시장규모가 1~2,000억 규모로 예상되면 시장점유율 1%를 목표로 예상 매출액

10~20억을 달성하기 위해 창업 초기에 사력을 다하는 것이다. 시장점유율에 따라 얻을 수 있는 매출은 기업의 밸류와도 연관된다. 매출이라고 표현하지만, 이 매출이 가파르게 상승한다면 시장점유율 상승에 따른 성장치는 곧 투자받을 수 있는 지표가 될 수도 있다.

⑯ 요약문은 마지막에 작성해야 한다.

요약문을 먼저 작성하게 되면 (예비) 창업자는 요약문이라는 틀에서 벗어나기 어렵다. 먼저 요약문을 작성하고 요약문을 근거로 해서 자세하게 작성하겠다고 생각할 수 있다. 하지만 요약문을 근거로 사업계획서가 작성되면 본문의 중요성이 요약문보다 낮아질 수 있다. 또한, 중요한 내용이 요약문에 반영되지 않을 수 있어 요약문을 읽는 평가 위원이 자칫 좋지 않은 평가를 할 수도 있다.

본문을 먼저 작성하고 요약문을 작성하는 경우 본문의 핵심사항, 중요한 부분을 정리하여 요약문에 담을 수 있다. 틀에 얽매이지 않기 때문에 자유롭게 요약문을 작성할 수 있고 필요에 따라 그림이나 도표를 포함하여 전략적으로 요약문을 이용할 수도 있다.

⑰ 그림, 도표를 먼저 만들고 사업계획서를 작성해야 한다.

(예비) 창업자는 사업계획서를 먼저 작성한 다음에 내용에 맞는 그림이나 도표를 만들고자 한다. 순서로 보면 내용이 작성된 다음

에 내용을 설명하는 그림이나 도표를 작성하는 것이 맞다. 하지만 사업계획서를 조금 더 쉽게 작성하려면 소제목 중심으로 사업계획서를 작성한 다음에 그림이나 도표를 먼저 작성하는 것이 좋다.

사업계획서는 그림을 설명하거나 도표에 기반하여 기술하는 경우가 많다. 글을 먼저 작성하면 글에 적합한 그림이나 도표가 없는 경우 글을 다시 작성해야 하는 어려움이 있을 수 있지만 그림이나 도표를 먼저 준비하면 그림에 따라, 도표에 따라 다른 관점이나 시각으로 글을 작성할 수 있다.

예를 들어 A 지역의 B 관광 상품 구매 고객의 요구사항을 작성한다고 가정해 보면 글을 먼저 작성한 뒤에 실제 요구사항에 대한 그림이나 자료를 찾으려 하면 쉽게 찾을 수 없다. 이런 통계가 없을 수도 있고 찾았다 하더라도 B 관광 상품의 통계가 아닌 경우일 수 있다.

만약 A 지역의 관광객 수나 관광 상품 매출액에 대한 통계가 있다면 (예비) 창업자는 B 상품의 요구사항이 아니더라도 관광객 수, 매출액 통계를 통해 어떤 상품에 대한 요구가 높은지 유추하여 작성할 수 있다.

인터넷에는 (예비) 창업자가 원하는 통계 자료가 없을 수 있고, 더욱이 사업계획서의 논리를 뒷받침하는 자료가 없을 수 있다. 없는 자료를 거짓으로 만드는 것보다 있는 자료를 활용하는 것이 사업계획서 작성에는 도움이 될 수 있다.

⑱ 최종 산출물의 그림이 보여야 한다.

사업계획서를 평가하다 보면 (예비) 창업자가 기술하는 아이템이 제품인지 서비스인지 명확하지 않을 때가 많다. 제품 같은데 서비스이고 서비스인데 제품이기도 하고 때로는 두 가지가 융합된 창업 아이템이 나오기도 한다.

기술의 발전이 빠르고 새로운 서비스가 하루가 다르게 나오고 있기 때문에 평가 위원이 선뜻 창업 아이템을 파악하기 어려운 것도 어찌 보면 당연할 수 있다. 최종 산출물이 무엇인지 직관적으로 이해시키는 것은 단순히 평가 위원의 이해를 돕는 것을 떠나 비즈니스 모델을 쉽게 파악할 수 있게 하고 창업 아이템의 차별점을 더욱 돋보이게 할 수 있다.

최종 산출물이 있는 아이템과 없는 아이템은 근본적으로 큰 차이가 있다는 점을 명심해야 한다. 평가 위원은 막연한 아이디어보다 명확한 계획이 수립된 아이템을 좋은 아이템으로 평가한다.

⑲ 논리적인 흐름이 맞아야 한다.

사업계획서는 처음부터 마지막까지 논리정연해야 한다. 문제 인식에서 언급한 내용이 팀 구성에 이르러서 전혀 다른 내용으로 기술되면 평가 위원은 고개를 갸우뚱하게 된다. 창업 아이템의 장점이 비즈니스 모델과 다르고, 비즈니스 모델에서 언급한 차별 우위가 경쟁사 대비 돋보이지 않는다면 전체적인 구성, 사업계획서의 논리에 대해서 의아하게 생각할 수 있다.

논리 정연함은 다른 것에 있지 않다. 글로만 이렇다, 저렇다 하기보다 그림과 도표를 활용하여 (예비) 창업자의 주장을 뒷받침하라는 의미이다. 주장에 맞는 근거, 근거에 따라 작성되는 사업계획서가 문제 인식에서부터 팀 구성까지 하나의 결로 하나의 논리로 작성된다면 평가 위원의 입장에서는 흠을 잡기가 어렵다.

평가 현장에서 가장 평가하기 어려운 창업 아이템이 논리 정연한 창업 아이템이다. 기술성, 사업성이 좋고 나쁨을 떠나서 잘 작성된 사업계획서는 최소한 중간 점수 이상은 받게 된다. 1점이 아쉬운 사업계획서에서 중간 점수 이상을 받고 시작한다는 것은 (예비) 창업자에게 매우 큰 이점으로 작용한다.

논리 정연하게만 작성해도 사업계획서는 중간 이상 간다는 사실. 사업계획서를 작성할 때 정말 참고해야 할 말일 것이다.

⑳ 아이디어가 참신해도 떨어질 수 있다

사업계획서는 참신하고 혁신적인 아이디어라고 해서 반드시 합격하는 것은 아니다. 좋은 아이템이라고 해도 사업계획서가 잘 작성되지 않으면 좋지 않은 것으로 평가받을 수 있다. 반대로 조금 미흡한 아이템이라 하더라도 사업계획서가 잘 작성되었다면 평가 위원으로부터 좋은 점수를 받을 수 있다. 좋지 않은 아이템이 선정되는 것은 아니지만 기억해야 할 점은 아이디어가 참신해도 떨어질 수 있다는 것이다.

강의나 멘토링을 할 때 가장 먼저 이야기하는 것이 바로 아이디어가 참신해도 떨어질 수 있다는 것인데 이런 이유로 (예비) 창업자에게 덤덤하게 받아들일 것을 항상 강조한다. 사업계획서를 충실히 작성했다면 (예비) 창업자가 할 수 있는 것은 다 했으니 모든 것은 좋은 평가 위원을 만나 잘 평가 받기를 바라는 것뿐이다. 지원사업마저도 운이 작용한다고 말하기에는 아쉬운 부분이 있을 수 있지만, 사람이 하는 일이어서 지원사업도 운이 작용할 때가 많다.

그저 위로의 말일 수 있지만 불합격하는 것이 반드시 아이디어가 별로이기 때문에, 창업 아이템이 별로이기 때문은 아니다. 따라서 최선을 다했다면 합격 불합격과 관계없이 마음을 비워야 한다. 좋은 아이템이라면, 실현 가능성이 있고 사업성이 뛰어난 아이디어라면 반드시 평가 위원이 좋은 점수를 줄 것이다.

시장 조사와 도식화 팁

(예비) 창업자를 대상으로 사업계획서 강의를 하다 보면 애로사항을 가장 많이 호소하는 분야가 시장 조사이다. 사업화 계획이나 마케팅 전략, 비즈니스 모델 등 모든 분야가 어렵지만, 창업을 한 번도 고려해보지 않았거나 생애 최초로 창업을 생각하는 경우 시장 조사를 매우 어려워하는 경향을 보인다.

시장 조사가 어려운 이유는 자신의 논리를 뒷받침할 통계 자료를 찾기가 어렵기 때문인데 (예비) 창업자는 저자가 앞서 여러 분야에서 이야기한 것처럼 생각을 바꾸어야 한다. 나에게 필요한 통계 자료를 찾기보다 통계 자료를 먼저 찾고 통계 자료를 활용하여 논리를 전개해나가는 것이다. 원하는 통계가 없는 경우 설문 조사를 활용할 수 있다. 모수가 많을수록 신뢰도를 갖추었다고 할 수 있지만,

일반적으로 사업계획서에서 자체 설문 조사를 활용하는 경우 설문 조사의 신뢰도가 다소 미흡하다고 지적받을 수 있다.

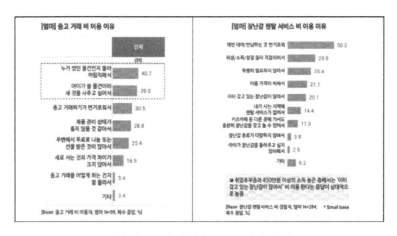

자체 설문 조사 예시 (Sourced 자체 제작)

가능하다면 자체 설문 조사를 피해야 하고 설문 조사를 해야 한다면 통계 자료가 확인되지 않는 부분에서 설문 조사를 수행해야 한다. 서비스의 경우 고객의 요구사항을 파악하거나 트렌드에 대한 공감대를 끌어낼 때 설문 조사를 의도적으로 활용할 수 있다. (ex. 스포츠 선수를 대상으로 특수 심리 치료가 필요한지 여부에 대한 설문 조사)

통계 자료가 없는 경우 사업계획서 본문에 통계 자료가 없거나, 조사된 내용이 없음을 기재하고, 유사 산업의 통계 자료를 활용하여 시장규모를 추정하는 것이 좋다. 탐삼솜(TAM-SAM-SOM)을

활용하여 시장규모를 추정하는 방법도 좋은데 되도록 유사 산업의
통계 자료를 활용하여 제시하는 것을 추천한다. 탐삼솜은 타겟 시
장의 규모를 추정하는 데는 효과적일 수 있지만, 타겟 시장의 규모,
트렌드를 시계열 자료로 표현하기에는 부족할 수 있다.

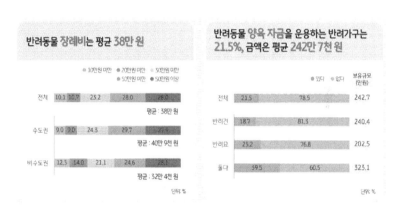

통계 자료 예시 (Sourced kb금융연구소)

　통계 자료를 공신력 있는 기관의 자료를 활용하라고 본문에서 언
급했다. 공신력 있는 기관은 어떤 기관을 의미할까? 뉴스에서 보도
된 자료는 의미가 없는 것일까? 아니다. 공신력이 있다는 것은 특
정 기관만을 의미하진 않는다. 기업에서 조사된 자료라 하더라도
전문 리서치 기관을 통해 조사된 자료의 경우 신뢰도가 있다고 판
단된다. 위의 예시는 반려동물 시장규모 및 전망이다. K 증권사의
자료지만 우리나라 반려동물 산업을 이해할 수 있는 데이터를 전문
리서치 기업과 함께 조사하여 작성된 자료로 신뢰도가 있다고 볼

수 있다. 이런 경우 시장 조사가 적절하게 수행되었다고 평가 위원
들은 판단한다.

캠핑 시장 추이 변화

출처 없는 통계 자료 예시 (Sourced 자체 제작)

반려동물 통계의 경우를 포함하여 위의 예시에도 통계 자료의 출
처가 표시되어 있지 않다. 아무리 좋은 자료라고 하더라도 출처가
표시되어 있지 않다면 이 자료가 의도적으로 가공된 것인지 신뢰도
가 있는 자료인지 확인하기 어렵다. 사업계획서에 사용되는 자료의
경우 출처를 표시하는 것이 신뢰도를 높이는 데 도움이 된다. 더욱
이 통계 자료의 경우 출처 표시를 해야만 신뢰도가 있다.

필수로 활용해야 하는 자료인데 출처 표시가 명확하지 않은 경우
가 있다. 인터넷에서 다운로드 받은 자료인데 출처가 기억나지 않
는 경우 구글 이미지 검색을 통해 유사 이미지의 출처를 확인해보
고 그럼에도 불구하고 확인이 되지 않는 경우 포털 사이트명이라도
기재해야 한다. 출처 표시가 없는 것보다 출처를 기재하는 것이 조
금이나마 통계 자료의 신뢰도에 도움이 된다.

시장 조사방법

　창업한다는 것은 산업에 뛰어드는 것과 같다. 3D 프린팅을 활용하여 디자인이 가미된 인테리어 조명을 만든다면 이 아이템은 인테리어 소품 산업에 참여하는 아이템이 된다. 인테리어 소품 산업의 트렌드, 시장규모나 현황에 따라서 산업이 발전하고 있다면 창업 아이템은 기회를 얻을 확률이 높고, 반대로 쇠퇴한다면 호기롭게 창업해도 기회를 얻기 어려울 수 있다. 산업의 큰 변화는 하나의 기업이 제어할 수 없는 환경의 영역이기 때문에 기업은 환경이 어떻게 바뀌고 있는지 주기적으로 산업을 조사하고 흘러가는 흐름을 읽어야 한다.

　시장을 조사한다는 것은 이런 의미에서 산업의 통계를 본다는 의미이기도 하지만 넓게는 트렌드를 확인하는 것, 경쟁 기업이나 기술을 보는 것, 고객의 반응이나 요구를 파악하는 것 모두를 포함한다. (예비) 창업자들은 시장 조사라고 하면 산업의 통계 자료를 찾는 것에만 집중하지만 시장 조사는 조금 더 넓은 범위의 조사를 통해 기업의 운영과 전략을 수립하는데 통찰을 얻는 것이라고 할 수 있다.

사업계획서에서 요구하는 시장 조사는 통계 자료이다. 창업 아이템이 어떤 산업에 뛰어드는 것인지 사업계획서는 요구한다. 하지만 모든 산업의 데이터가 때마다 시마다 조사되는 것이 아니기 때문에 (예비) 창업자는 데이터가 없는 경우를 항상 염두에 두어야 한다. 가장 추천하는 방법은 유사한 산업의 통계 또는 오랜 시간 통계 자료를 찾고 자료에 기반하여 사업계획서를 작성하는 것이다. 하지만 통계 자료가 없는 경우 자체 설문 조사나 혹은 시장을 가늠해볼 수 있도록 다양한 자료를 제시하여 시장을 추산하기도 해야 한다.

시장 조사는 정답이 없다. 원하는 자료를 단번에 찾을 수 있지만 찾기 어려울 수 있고 찾았다 하더라도 내가 원하는 자료가 아닐 수 있다. 따라서 시장 조사의 방법에 대해서 아래와 같이 팁을 안내하지만, 반드시 이 팁대로 한다고. 해서 원하는 자료를 찾을 수 있는 것은 아니다.

- ∴ 다양한 시장 조사 방법을 통해서 원하는 자료를 찾는다
- ∴ 내가 원하는 통계가 없는 경우 유사 산업의 통계 자료를 활용하여 사업계획서를 작성하면 된다.

∴ 통계 자료가 없는 경우 다른 자료를 활용하여 시장을 파악하거나 경쟁 기업, 고객의 니즈를 파악할 수 있도록 해야 한다.

포털 사이트 검색하기

시장 조사에서 가장 먼저 사용되는 방법은 포털 사이트를 검색하는 것이다. (예비) 창업자들은 통계 자료를 찾는다고 하면 포털 사이트에서 가장 먼저 산업을 검색한다. 일반적으로 검색결과를 기반으로 통계 자료를 찾는데 단순히 결과만 볼 것이 아니라 뉴스, 이미지 영역 등을 함께 볼 것을 권장한다.

포털 사이트 검색결과 예시 (Sourced 네이버)

포털 사이트를 검색한다고 하면 네이버에서만 검색하는 (예비) 창업자가 많다. 네이버에서도 양질의 통계 자료가 검색되지만 정보 검색은 네이버보다 구글을 사용하는 것이 좋다. 구글을 사용할 때 는 구글의 검색 방법을 활용하여 정보를 찾는 것이 좋은데 구글에 서 사용되는 검색 팁은 다음과 같다.

수정된 검색어에 대한 결과: 반려동물 시장규모**pdf**
다음 검색어로 대신 검색: 반려동물 시장규모p df

KB금융그룹
https://www.kbfg.com › report › reportView ⋮

2023 한국 반려동물 보고서

2023. 6. 4. — 한국 **반려동물** 양육 현황 01 | 한국 반려가구 현황 02 | 선호 품종과 입양 ... **pdf**
2023 한국 반려동물 보고서.**pdf** 관련보고서 및 게시글. 고객/디지털 ...

연합인포맥스
https://static2.einfomax.co.kr › infolive › 2023... PDF ⋮

PowerPoint 프레젠테이션

2023. 7. 10. — 국내 펫 케어 **시장**은 7년간 약 두 배. 규모(2020년 3.4조원→2027년 6조원)로 시장
이 확대될 전망이다. 국내 펫 케어 산업의 성장요인도. 글로벌 **시장**과 ...

포털 사이트 검색결과 예시 (Sourced 구글)

- 소셜미디어 검색 시 : "@"붙이기 ex) @twitter

- 가격 검색 시 : 통화기호 붙여서 검색하기 ex) 런던 베이글
₩5000

- 해시태그 검색 : 해시태그 붙여서 검색하기 ex) #사업계획서

- 파일 검색하기 : "Filetype:" 입력하기 또는 확장자 입력

ex) 반려동물 보고서 Filetype : pdf

- 특정 사이트 검색하기 : "site" 입력하기

  ex) site:youtube.com 또는 gov와 같은 특정 단어 입력

- 검색어 조합하기 : 검색어 사이에 "OR" 입력

  ex) 용인 수지 OR 용인 처인

- 숫자 범위 내에서 검색 : 두 숫자 사이에 ".." 붙이기

  ex) 단팥빵 ₩2000..₩4000

- 정확히 일치하는 결과 검색 : 큰따옴표 붙이기

  ex) "한국에서 가장 더운 곳"

- 검색어 단어 제외 후 검색 : 제외하려는 단어 앞에 "-" 붙이기

  ex) 현대자동차 - 그랜저

구글로 정밀한 검색을 하기 위해 다양한 팁을 활용할 수 있지만, 그동안 사업계획서를 작성한 경험상 검색어 끝에 "pdf"만 입력하여 통계 자료를 검색해도 충분한 결과를 얻을 수 있었다. "pdf"라는 검색어를 사용하는 이유는 통계청을 포함하여 공공기관, 협회, 금융사, 기업 등에서 업로드 한 다양한 보고서 자료, 발간 자료 등을 확인할 수 있기 때문이다. 위의 팁과 같이 "Filetype"을 사용해도 되지만 검색어 끝에 확장자인 "pdf"만 입력해도 pdf 자료는 조회가 된다. 통계 자료 찾기가 어렵다면 구글에서 원하는 검색어를 입력하고 끝에 "pdf"라고 입력해보자. 찾고자 하는 산업의 현황 자료, 통계 자료를 빠르게 찾을 수 있을 것이다.

전문 리서치 기관(기업)의 자료 확인하기

우리나라에는 여러 산업을 대표하는 공공기관들이 있다. 산업에 종사하는 다양한 기업들도 있으며 기업 중에서는 리서치 기업들도 있다. 기업 중에서는 리서치만 전문적으로 하는 기업이 있으며, 리서치가 전문이 아니더라도 산업과 기술에 대해 다양한 보고서를 발간하는 곳이 있다. 창업은 산업에 뛰어드는 것이라고 했다. 만약 뛰어드는 산업이 신시장이 아니라 기존 시장이라면 (예비) 창업자는 시장에 참가하고 있는 기업들의 자료, 산업과 관련된 기관들이 발간하는 통계 자료를 먼저 확인해야 한다.

전문 자료 조사결과 예시 (Sourced IT FIND)

예시와 같이 산업을 대표하는 공공기관에서는 산업의 동향 정보, 산업의 통계 자료를 주기적으로 발간한다. 통계 자료의 발간을 통해 산업에 참여하는 기업들의 전략 수립과 성장을 지원하는데 사업계획서 작성에는 이런 공공기관들의 발간 자료가 매우 좋은 자료로 활용될 수 있다.

중소기업 기술 로드맵 (Sourced 기술 로드맵)

신기술의 경우 중소기업기술로드맵을 활용하면 신기술의 동향, 통계 자료를 쉽게 찾을 수 있다. 중소벤처기업부에서 만든 중소기업기술로드맵(smroadmap.smtech.go.kr)은 각 분야를 대표하는 신기술 분야의 동향과 현황을 쉽게 파악할 수 있도록 만든 플랫폼이다.

기관뿐만 아니라 전문 리서치 기업의 자료들을 확인하는 것도 매우 좋은 시장 조사 방법이 될 수 있다. 대표적인 기업은 삼성 글로벌 리서치, LG 경영연구원이다. 전문 리서치 기업에서 발간되는 자료는 해당 산업에 대한 전문적인 자료도 있지만, 사회 트렌드 분석이나 소비자에 대한 다양한 리서치 자료를 확인할 수 있어서 사업계획서의 논리를 뒷받침하는데 좋은 근거가 될 수 있다.

전문 리서치 기업 예시 (Sourced 삼성글로벌리서치, LG경영연구원)

상장기업, 스타트업의 자료 확인하기

전문 리서치 기업이 아니라 하더라도 기업이 직접 조사하여 만든 시장 통계 자료나 데이터를 확인할 수 있는 방법은 없을까. 만약 산업의 상장기업이 있다면 상장기업이 전자공시(DART 전자공시)

를 통해 게시한 사업보고서를 통해 확인할 수 있다. 상장기업은 주기적으로 사업의 현황에 대하여 보고서를 공시하도록 하고 있다. 이 보고서에는 회사의 개요, 사업의 내용 등이 담기는데 사업의 내용에는 상장기업이 종사하는 산업과 경쟁 현황 등에 관한 내용을 포함하도록 하고 있다.

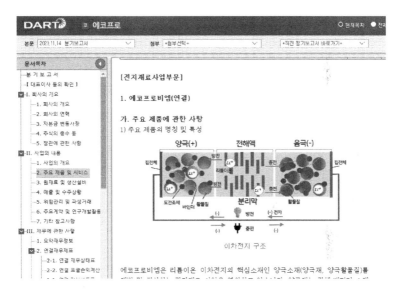

전문 리서치 기업 예시 (Sourced 삼성글로벌리서치, LG 경영연구원)

기업이 직접 제작한 자료나 또는 IPO(기업공개) 예정인 기업들의 자료도 시장조사의 자료로 활용할 수 있다. IRGO 사이트를 활용하면 이런 기업들의 IR 리포트를 확인할 수 있다. IR(Investor Relation) 리포트는 투자 유치 또는 이해관계자들을 위해서 작성되는 자료로 IR 자료에는 기업의 현황뿐만 아니라 산업의 현황, 통계, 트렌드 등을 담는 경우가 많다. 투자자들을 대상으로 하기 때문에 자료는 매우 신중히 작성되므로 IR 리포트에 포함된 통계 자료는 공신력 있는 기관, 전문 리서치 기업의 자료를 활용하는 경우가 많다.

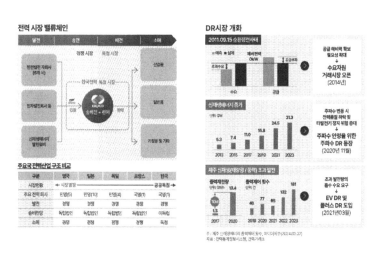

IR 자료의 시장통계자료 예시 (Sourced IRGO)

IR 자료는 통계 자료뿐만 아니라 산업과 기업의 기술, 경영 현황 및 성과를 파악하기에 매우 유익한 자료이다. 통계 자료를 포함하여 경쟁 기업 현황을 분석할 때도 IRGO 사이트는 매우 유용할 것이다.

공공기관의 통계 자료 활용하기

통계 자료를 검색하기 위해 통계청을 가장 먼저 찾는 (예비) 창업자가 많지만, 산업을 대표하는 공공기관이나 지자체 등의 공공기관을 통해 시장 조사를 하는 방법도 매우 유용한 방법이 될 수 있다, 특히 지역에 기반한 창업 아이템이거나 지역과 관련된 통계 자료가 필요한 경우 지자체에서 만든 통계정보는 매우 좋은 자료가될 수 있다.

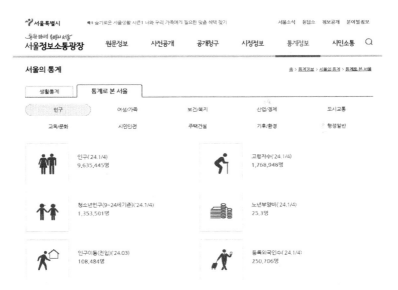

지자체 통계 자료 예시 (Sourced 서울시 홈페이지)

시장 조사를 위해 저자는 도청 홈페이지 또는 시청 홈페이지를 자주 방문하여 통계정보를 검색한다. 지자체 홈페이지에는 다양한 정보가 공개되어 있으며 특히 지역에 대한 다양한 데이터를 시각화하여 공개하고 있기 때문에 사업계획서에 활용하기 좋다. 지역에 기반하여 고객을 분석하거나 시장을 공략할 때 지역의 통계 자료가 사업화 계획 수립에도 도움이 된다.

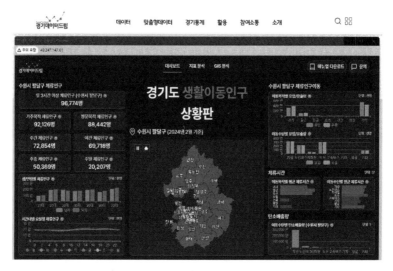

지자체 통계 자료 예시 (Sourced 경기데이터드림)

지역에 따라 데이터를 시각화하여 제공하는 전문 사이트도 있을 수 있다. 창업 예정인 지역의 도청 홈페이지와 통계 전문 사이트를 검색해보자. 시각화된 자료, 사업계획서에 활용하기 좋은 자료, 산업의 현황과 동향에 대한 유익한 자료를 확보할 수 있을 것이다.

현장 방문과 직접 조사하기

통계 자료의 공신력, 신뢰도를 위해 직접 설문 조사하는 것이 좋지 않다고 언급했다. 시장 조사는 현장 조사를 포함하고 있는 개념인데 현장을 방문하여 직접 조사한 후 사업계획서에 기재하는 것이 시장 조사를 수행하지 않은 것이라고 할 수는 없다. 그렇다면 현장 조사를 통해 얻은 통계 자료를 사업계획서에 기재해도 된다는 의미인데 추천하지 않는 이유는 사업계획서의 취지 때문이다. 사업계획서에서 요구하는 통계 자료는 빅데이터에 기반하여 작성된 자료여야 한다. 산업의 흐름과 변화를 한 눈에 확인할 수 있는 자료로 그 모수가 충분히 클 때 편향되지 않고 신뢰도가 있다고 볼 수 있다.

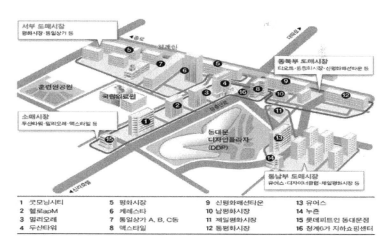

현장 조사를 위한 지도 예시 (Sourced DDP)

만약 산업이 규모화되지 않아 공식적으로 조사된 통계 자료가 존재하지 않고 현장 방문을 통해 자료를 작성해야 한다면 이런 경우는 예외로 보아야 한다. 창업 아이템이 기존에 없는 새로운 아이템이라면 현장 조사를 통해 또는 자체 설문 조사를 통해 도출된 결과로 통계 자료를 작성한 후에 사업계획서에 기재해야 한다. 다만 이러한 경우라 하더라도 통계 자료의 신뢰도를 위해 모수를 높일 것을 권고한다. 통계의 특성상 50명을 대상으로 조사된 자료 보다 1,000명을 대상으로 조사된 자료가 편향되지 않고 신뢰도가 높다고 할 수 있다.

모수를 100명, 1,000명 높일 수 없다면 어떻게 해야 할까. 이런 경우 현장 조사를 통해 얻은 통계 자료만 제시하기보다 유사 산업의 통계 자료와 함께 현장 조사한 내용을 참고문헌(Reference, 참조)으로 제시하는 것이 좋다. 평가 위원은 사업계획서 평가 시에 통계 자료를 잘 찾았느냐, 못 찾았느냐로 시장 조사 여부를 평가하지 않는다. 조사된 자료가 창업 아이템의 지원 당위성을 설명하기에 충분히 좋은 자료이며, 이 자료가 공신력이 있는지, 신뢰도가 있는지를 평가한다.

(예비) 창업자가 기억해야 할 것은 한 가지이다. 조사를 통해 이미 공개된 통계 자료를 찾거나 현장 조사를 통해 얻은 자료를 활용하거나 어떤 경우라 하더라도 통계 자료가 창업 아이템의 지원 당위성을 논리정연하게 입증해주고 있는지를 고민하면 된다.

소상공인 아이템은 상권정보 활용하기

(예비) 창업자의 창업 아이템이 소매 판매 또는 오프라인 매장을 기반으로 서비스가 제공되는 경우 상권정보를 통계 자료로 활용하는 방법도 매우 효과적인 방법이 될 수 있다. 소상공인 상권정보는 소상공인시장진흥공단에서 운영되는 플랫폼으로 무료로 이용할 수 있으며 지역을 중심으로 상권, 입지를 분석하는데 매우 유용한 도구이다.

소상공인 상권분석 예시 (Sourced 상권정보)

소상공인 상권정보 시스템을 활용하면 행정구역, 주요 상권에 대하여 업소, 유동인구, 매출, 직장인구, 소득, 소비, 대수, 주거인구 등의 시각화된 데이터를 얻을 수 있다.

chat GPT, Bing 등 AI 검색 활용하기

인공지능 서비스의 등장으로 인공지능을 활용하여 통계 자료를 찾는 (예비) 창업자도 늘어나고 있다. 인공지능은 매우 유용하고 빠르며 사업계획서 작성에도 도움이 될 수 있는 도구이다. 하지만 인공지능 서비스를 통계 자료 조사와 작성에 활용하기에는 아직 미흡한 부분이 많다.

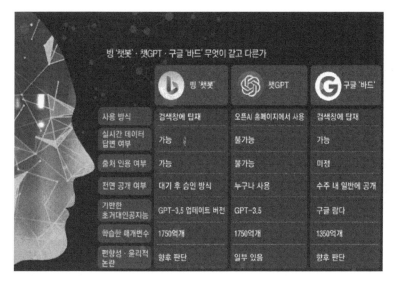

ai 플랫폼별 비교 예시 (Sourced google)

유료 버전의 경우는 최신 데이터를 학습한 결과를 보여주지만, 무료 버전의 chat GPT는 2024년 기준 2023년 말까지의 자료가 학습되어 있다. 데이터가 최신화되어 있지 않으므로 통계 자료를 조사하는 경우 chat GPT를 활용하게 되면 과거의 데이터를 조회하거나 잘못된 데이터를 제시할 수 있다. 통계 자료를 직접 조사하는 것이 아니라면 인공지능이 제시하고 있는 자료가 잘 조사된 자료인지 아닌지 (예비) 창업자가 직접 판단해야 한다.

연도	국내 반려동물 시장 규모	반려동물 사료 시장 규모	반려동물을 키우는 가구 비중
2010년	1조 2,000억 원	-	17.4%
2015년	1조 9,000억 원	-	21.8%
2020년	3조 4,000억 원	1조 2650억 원	27.7%
2023년 (예상)	-	9,509억 원	-
2027년 (예상)	6조 원		

Bing ai 검색결과 예시 (Sourced Bing ai)

인공지능이 제시한 결과를 맹신하는 (예비) 창업자는 없겠지만 시장 조사를 어려워하거나 통계 자료를 찾는데 애로사항이 있는 (예비) 창업자는 인공지능을 활용하면 쉽게 통계 자료를 찾을 수 있을 것으로 생각할 수 있다. 예시를 보면 알 수 있겠지만 인공지능을 활용하는 것이 반드시 도움이 된다는 것은 아니다.

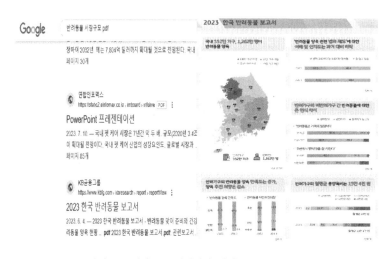

구글 반려동물 시장규모 검색결과 예시 (Sourced google&KB)

　Bing ai 에게 반려동물 시장규모를 조사하고 이를 표로 정리할 것을 요구했는데 Bing ai가 제공한 정보는 2020년까지의 데이터이고 그 이후의 데이터는 제시하지 못하고 있다. 반면에 구글 검색을 통해서 반려동물 시장규모를 검색하면 최신 검색결과를 쉽게 찾을 수 있는 것을 확인할 수 있다. 인공지능이 학습한 데이터에 산업의 최신 현황 정보가 반영되지 않은 것이다. 인공지능을 활용하여 시장 조사를 수행하는 것이 유익하지 않다는 것은 아니다. 충분히 활용하면 통계 자료를 찾는 것에 도움이 될 수 있지만, 인공지능이 답변으로 제시한 결과데이터를 맹신해서는 안 되며 (예비) 창업자는 인공지능의 데이터를 활용할 때 반드시 교차 검증을 통해 신뢰성 있는 자료인지 확인할 필요가 있다.

포털 사이트 검색어 추이 활용하기

제품·서비스에 따라 계절성이 강하거나 특정 시기에 고객의 수요가 빠르게 늘어난다는 점을 강조해야 하는 아이템이 있다. 특정 시기에 고객의 수요가 늘어나는 점을 확인하는 방법은 다양하지만, 정보화 시대를 살아가고 있는 지금은 검색어 추이(Keyword Trend)를 확인하는 것이 가장 좋은 방법일 수 있다. 소비자는 정보를 얻기 위해 검색하고 물건을 구매하기 위해 검색한다.

검색을 많이 한다는 것은 그만큼 관심도가 높다는 의미이며 특정 시기에 검색량이 많아진다는 의미는 계절적인 수요가 높아질 수 있다는 것을 의미한다. 검색량의 추이를 보는 것은 일반적으로 검색어에 기반한 광고를 집행할 때 사용하는 도구이다. 소비자가 많이 검색하는 검색어는 광고료가 비싸고, 소비자가 검색하지 않는 키워드는 광고료가 저렴하게 입찰 되는 광고 시스템에 기반하는 것이다.

예를 들어, 지역 자원을 활용하여 관광 상품을 개발하여 판매하는 창업 아이템이 있다고 가정해 보자. (예비) 창업자의 제품은 소비자가 관광지를 많이 찾을수록 매출액이 상승할 것이다. 유명 관광지의 검색량이 증가하는 시기를 검색어 추이 자료로 제시한다면 평가위원은 (예비) 창업자의 제품이 충분히 시장성이 있다고 판단할 수 있을 것이다.

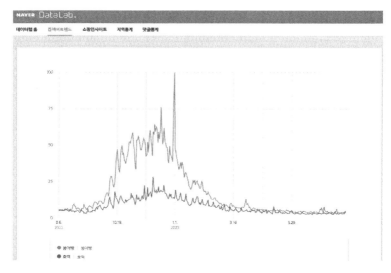

검색어 추이 결과 예시 (Sourced Naver data lab)

검색어 추이는 특정 포털 사이트에서만 제공되는 정보는 아니다. 대부분의 포털 사이트에서 검색어 추이 정보를 제공하는데 네이버는 데이터랩을 통해 2016년 이후부터 누적된 검색어 트렌드 정보를 제공하고 있으며, 카카오는 카카오 트렌드를 통해 검색량 변화 추이 정보를 제공한다. 구글 또한 트렌드 데이터를 제공한다. 다만 네이버와 카카오는 검색어와 검색어 트렌드를 통해 검색량의 변화를 유의미하게 분석할 수 있는 반면 구글은 지역 중심의 인기 검색어를 확인하는 데 유용하게 사용된다. 추이를 보기에는 네이버와 카카오가 유용하고 구글은 인기 검색어를 확인하는 데 도움이 된다.

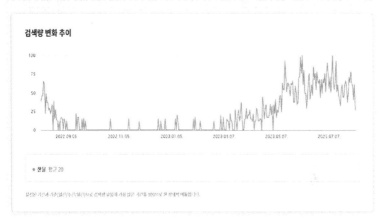

● 샌달

2022.08.06 - 2023.08.06 | 전체기기 | 전체성별 | 전체연령 | 전국지역

검색량 변화 추이

100
75
50
25
0

2022.09.05   2022.11.05   2023.01.05   2023.03.07   2023.05.07   2025.07.07

 샌달 한강 20

검색어 추이 결과 예시 (Sourced kakaodatatrend)

google.co.kr
https://trends.google.co.kr › trends ⋮

Google 트렌드

트렌드 활용법. 언론사, 자선단체 등 전 세계에서 **Google** 트렌드를 어떻게 사용하고 있는지 확인
해보세요. Google Frightgeist. 너무 잘 만든 나머지 무서운 의상도 ..

Trending_up실시간 인기
2023년 8월 4일 금요일. notifications help_outline. 도움 ...

실시간 인기 급상승 검색어
지난 24시간. filter_list. help_outline. 도움말. 이 지역에는 실시간 인 ...

2022년 올해의 검색어
Google 트렌드에서 2022년을 장식했던 검색어들을 살펴보세요 ...

2021년 올해의 검색어
Google 트렌드에서 2021년을 장식했던 검색어들을 살펴보세요 ...

google.co.kr 검색결과 더보기 »

검색어 트렌드 결과 예시 (Sourced googletrend)

사업계획서 작성에 도움이 되는 사이트

사업계획서를 작성할 때 평가 위원의 이해를 돕기 위해, 창업 아이템을 보다 쉽게 이해시키기 위해 표와 그림을 활용하게 된다. 한글 프로그램을 다루는데 익숙한 (예비) 창업자는 표나 그림을 잘 활용할 수 있겠지만 그렇지 않은 (예비) 창업자는 한글을 사용하는 일이 여간 까다로운 일이 아닐 것이다.

사업계획서는 지정한 양식을 준수해야 하므로 기본 양식으로 제공되는 표를 가공할 수는 없다. (예비) 창업자가 사업계획서를 조금 더 돋보이게 하는 방법은 표를 추가로 삽입하거나 그림을 가공하여 넣는 것인데 표를 추가로 활용하는 것보다 PPT나 디자인 플랫폼 등을 활용하여 다이어그램 등을 활용하는 것이 좋다. 앞서 언급했듯이 사업계획서 평가표에는 디자인 점수가 없기 때문에 도식화하는 것에 목표를 두고 다이어그램을 활용해야 한다.

다이어그램을 활용하는 것, 이해를 돕기 위해 그림을 가공하고 도식화하는 것 등은 모두 디자인 툴을 다룰 수 있는 사람에게 유리하다. 만약 (예비) 창업자가 디자인 툴을 다루는 것에 익숙하지 않다면 도식화를 하지 못하거나 디자인이 가미된 다이어그램을 활용할 수 없는 것일까. 그렇지 않다. 손쉽게 다이어그램을 활용하거나 도식화를 할 수 있도록 정보를 제공하고 있는 다양한 사이트들이 있다.

이미지에서 배경 제거하기 (Sourced remove.bg)

첫 번째 추천하는 사이트는 이미지에서 배경을 무료로 제거해주는 리무브(remove.bg)이다. 포토샵을 다룰 줄 아는 디자이너 사이에서는 속어로 '누끼를 딴다'라고 하는데 이 사이트에 이미지를 업로드하면 자동으로 피사체를 제외한 배경을 제거해준다. 배경을 제거한 이미지는 비즈니스 모델이나 여러 디자인에 활용할 수 있다.

두 번째 사이트는 플랫아이콘(Flaticon)이다. 벡터 아이콘 및 스티커 이미지를 활용할 수 있는 사이트로 수백만 개 이상의 아이콘을 무료로 다운로드 받아 사용할 수 있다. 물론 유료 아이콘도 있다. 다양한 아이콘을 활용하여 서비스가 제공되는 과정이나 모식도, 설계도, 관계도를 그려야 할 때 플랫아이콘을 통해 배경이 제거된 아이콘을 다운로드 할 수 있다. 아이콘은 배경이 제거된 상태로 제공되기 때문에 보다 깔끔한 도식화에 활용할 수 있다.

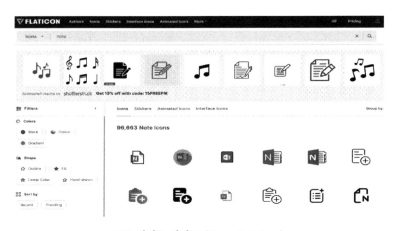

무료 아이콘 사이트 (Sourced flaticon)

세 번째 사이트는 프리파워포인트템플릿디자인(Freepowerpoint)
이다. 사이트 명칭에 따라 올 피피티(Allppt)라 불리기도 한다. 다양
한 템플릿 디자인과 다이어그램을 원본으로 다운로드할 수 있는 이
사이트는 무료 파워포인트 양식을 다운로드 받을 수 있는 사이트로
도 널리 알려져 있다. 저자가 이 사이트를 추천하는 이유는 다양한
다이어그램과 아이콘을 원본 다운로드하여 가공, 활용할 수 있기
때문이다.

무료 파워포인트 템플릿 사이트 (Sourced allppt)

사이트에 접속하여 템플릿 디자인을 선택한 후 하단의 다운로드
버튼을 누르게 되면 파워포인트를 원본으로 다운로드 받을 수 있
다. 원본 파일에는 다양한 다이어그램과 아이콘이 포함되어 있는데
직접 수정할 수 있기 때문에 본문의 텍스트만 수정해도 다이어그
램, 비즈니스 모델, 사업화나 마케팅 계획의 도식화가 가능하다.

무료 파워포인트 템플릿 사이트 (Sourced allppt)

네 번째는 무료 다이어그램만 전문적으로 제공하는 사이트인 프리픽(Kr.freepik)이다. 프리픽은 다양한 스타일의 다이어그램을 무료로 다운로드하여 활용할 수 있는 사이트로 단계적인 그림, 순서도 등을 활용할 때 도움이 될 수 있다.

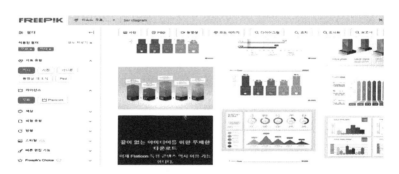

무료 파워포인트 템플릿 사이트 (Sourced allppt)

감사의 말

저서를 준비하는 동안 체력의 소진으로 조금 더 속도를 내지 못했다.
지난해부터 차일피일 미뤄온 저서 출간이 여름이 되어서야 모습을 드러내게 되었다.

강의 현장에서는 수백, 수천의 (예비) 창업자를 만나왔는데 PPT로만 존재하는 강의 자료를 책으로 묶어 사례와 함께 출간하기란 여간 많은 시간을 필요로 하는 것이 아니었다.

엮고 다듬고 작성하다 보니 부족한 부분도 보이고 채워야 할 것도 보여서 저서의 출간이 한편으로 강의 자료부터 강의 스킬, 멘토링과 컨설팅의 모든 면을 다시 한번 점검하는 계기를 만들어주었다.

저서 출간을 시작한다고 말하는 순간부터 체력이 소진되지 않도록 물심양면으로 지원해준 가족들에게 우선 감사하다는 말을 전하고 싶다. 가족들의 지원이 없었더라면 저서의 출간이 어려웠을 것이다. 한결같이 기도로 동참해주고 있는 친구들에게도 깊이 감사의 마음을 전한다.

멘토링으로, 컨설팅으로 자신의 사업계획서 자료를 샘플로 사용할수 있도록 동의해준 (예비) 창업자들에게도 감사의 뜻을 표한다. 사업계획서는 아이템의 민감한 내용이 담겨있어 공개가 어려울 수 있는데 자료를 선뜻 내어준 넉넉함에 깊은 감사를 표한다. (예비) 창업자들 모두 나의 든든한 우군이다. 창업이라는 길을 함께 걸어가는 동안 도움을 받은 만큼 더 도움을 드리리라 말씀을 드리고 싶다.

인터넷에 업로드된 많은 정보들은 불과 1~2년 혹 한두 번 사업계획서를 작성해본 사람들이 묘책처럼 작성해놓은 자료가 많다. 사업계획서 양식은 매년 바뀌며, 작성 방법도 조금씩 바뀌고 있다. 추이와 관계없이 하나만 배우고 전체인 것처럼 호도하는 팁을 보기보다 오랜 시간 추이를 지켜보고 변화를 추종하는 전문가를 통해 사업계획서 작성 방법을 배울 것을 추천한다.

본 저서는 저자의 오랜 시간의 노하우를 담은 비기이다. 추이와 변화를 담은 방법을 강의 현장이 아니더라도 책을 통해 창업 지원사업과 사업계획서 작성에 대해서 배울 수 있도록 했다.

저서에 있는 내용이 사업계획서 작성에 큰 도움이 되기를 바라면서, 이 책을 사업계획서 작성에 어려움을 겪고 있는 많은 (예비) 창업자들에게 바친다.